Ovelha

GUSTAVO MAGNANI

Ovelha

Memórias de um pastor gay

1ª edição — Julho de 2015

Grafia atualizada segundo o Acordo Ortográfico da Língua Portuguesa de 1990, que entrou em vigor no Brasil em 2009

Editor e Publisher
Luiz Fernando Emediato

Diretora Editorial
Fernanda Emediato

Produtora Editorial e Gráfica
Priscila Hernandez

Assistente Editorial
Adriana Carvalho

Assistente de Arte
Nathalia Pinheiro

Capa
Thiago de Barros

Projeto Gráfico e Diagramação
Ilustrarte Design e Produção Editorial

Preparação de Texto
Daniela Nogueira

Revisão
Marcia Benjamim

Dados internacionais de catalogação na publicação (CIP)
(Câmara Brasileira do Livro, SP, Brasil)

Magnani, Gustavo
Ovelha : memórias de um pastor gay / Gustavo Magnani. — São Paulo: Geração Editorial, 2015.

ISBN 978-85-8130-325-3

1. Homossexuais - Autobiografia 2. Homossexualidade masculina 3. Magnani, Gustavo 4. Memórias autobiográficas I. Título.

15-04968 CDD-920.9306766

Índices para catálogo sistemático:
1. Homossexuais : Autobiografia 920.9306766

GERAÇÃO EDITORIAL

Rua Gomes Freire, 225 – Lapa
CEP: 05075-010 – São Paulo – SP
Telefax: (+ 55 11) 3256-4444
E-mail: geracaoeditorial@geracaoeditorial.com.br
www.geracaoeditorial.com.br

Impresso no Brasil
Printed in Brazil

A Jesus Cristo Nosso Senhor,
Gregório de Matos Guerra

Pequei, Senhor; mas não porque hei pecado,
Da vossa alta clemência me despido;
Antes, quanto mais tenho delinquido,
Vos tenho a perdoar mais empenhado.
Se basta a vos irar tanto pecado,
A abrandar-vos sobeja um só gemido:
Que a mesma culpa, que vos há ofendido,
Vos tem para o perdão lisonjeado.
Se uma ovelha perdida já cobrada,
Glória tal e prazer tão repentino
Vos deu, como afirmais na Sacra História:
Eu sou, Senhor, a ovelha desgarrada,
Cobrai-a; e não queirais, Pastor Divino,
Perder na vossa ovelha a vossa glória.

Mãe, pai, dedico este livro a vocês, por tudo, absolutamente tudo que sempre fizeram por mim. Jamais chegaria aqui sem a compreensão, o amor, a religião e os ensinamentos de vocês. Não é da boca pra fora, mas do fundo do meu coração, que escrevo: Perdão. Perdão pelo que ouvirão ou lerão. Isto precisava ser escrito.

Obrigado, Linda, por me salvar.

Obrigado Benedita, Sebastião, João, Matilde, Márcio, Marta, Rube, Angela, Marcelo, Débora, Márcio, Mariana (especialmente), Guilherme, Liz.

Obrigado, Jesus, por me iluminar.

"Assim veio a mim a palavra do Senhor, dizendo: Antes que te formasse no ventre te conheci, e antes que saísses da madre, te santifiquei; às nações te dei por profeta. Então disse eu: Ah, Senhor Deus! Eis que não sei falar; porque ainda sou um menino. Mas o Senhor me disse: Não digas: Eu sou um menino; porque a todos a quem eu te enviar, irás; e tudo quanto te mandar, falarás. Não temas diante deles; porque estou contigo para te livrar, diz o Senhor. E estendeu o Senhor a sua mão, e tocou-me na boca; e disse-me o Senhor: Eis que ponho as minhas palavras na tua boca; Olha, ponho-te neste dia sobre as nações, e sobre os reinos, para arrancares, e para derrubares, e para destruíres, e para arruinares; e também para edificares e para plantares." (Jeremias 1:4-10)

Sumário

PRIMEIRA PARTE

SEGUNDA PARTE

TERCEIRA PARTE

QUARTA PARTE

Primeira parte

Eu nasci veado. Amém.

Perdão, comecei agressivo demais, senhor. É a falta de experiência. A mão suada, de tantas punhetas, segura outro objeto em riste, a caneta; não tão habituada à minha textura, ela teima em escorregar nas palavras e desviar os pensamentos.

Sim, gosto de pau, de pelo, de suor, de porra. Nasci veado e morri veado. Não, não estou morto. Xô, Brás Cubas. O coração ainda bate, mas me sinto como se estivesse enterrado. Nasci enterrado. Nasci evangélico. Não nasci pastor, mas estava escrito, segundo o bondoso destino de deus...

Mamãe me criou na Congregação Cristã do Brasil. Dela falarei ao longo do livro, mas já adianto: queria mesmo era ter nascido católico. Invejo suas imagens teatrais, convincentes. Ver é mais fácil, senhor. Cristo pendurado, cheio de sangue, agonizando, morrendo por meus tantos pecados — como se eu tivesse pedido por isso.

Estou internado num hospital católico e o crucificado está a minha frente. A verdade é que não sei por onde começar esta história. Não que eu não lesse muitos livros e nunca tivesse pensado em escrever um. Sempre li, mas... mas, nada! Esse assunto, assim como o porquê estou internado, guardo para um próximo capítulo. De início, uma pequena nota:

Minha história é a história de tantos outros: personagem que busca redenção, homem que busca felicidade, fiel que busca deus, *gay* que busca pa$_{(u)}$z.

"Pa$_{(u)}$z" é algo que nem de literário pode ser chamado. Comecei agressivo e piadista.

Das explicações prévias

Este diário é como uma autobiografia ou carta de suicídio prolongado de quem morre aos poucos, sem ter vivido direito, inspirado por coisas que li e que vivi, de capítulos sem ordem lógica, gosto duvidoso e linguagem questionável.

Volátil, por doença e por personalidade, posso alternar candura e agressividade. Relato com narração. Não creia você, senhor, que o faço por experimentalismo literário, mas porque estar aprisionado aqui muda meu humor na proporção inversa que mudo de roupa — sempre vestindo esta túnica horrível.

Sobre a túnica horrível: o lado bom é ter a bunda descoberta. Facilita para... ah, e aqui vou eu tentando chocar o senhor.

Esta história

Antes que o senhor vá muito longe perguntando-se as chances que dará à história, já adianto que ela tem todos os ingredientes para te fazer continuar: um personagem dúbio, de moral duvidosa, veado, pastor, casado, pai de dois filhos e seguidor de Cristo.

Destas memórias quero só uma coisa: o perdão pela vida que escondi — ou talvez a cura desta doença, ainda não sei.

Que eu morra crendo ter escrito uma obra-prima de araque. E se a síndrome de Van Gogh, do artista póstumo glorioso, não me for suficiente, que baste o sentimento de ter contado, ao fim da vida, a verdade — que não liberta, não.

No fim, pouco importa quem lerá; este escrito seguirá meu desejo, meio relato, meio narração, alternando sem aviso prévio, porque quero, porque sim. Ao menos atenderei a mim uma vez na morte.

Último alerta: se o senhor é dotado de preconceito e acha que a homossexualidade é uma aberração, não pare aqui. Provarei que estamos certos.

O primeiro "não seja gay" de meus ouvidos

Neste início, vou introduzir algumas primeiras vezes, a fim de situar o senhor por onde estive e por que sou o que sou. Minha infância inteira foi na igreja. Oração. Beijo no filho do pastor:

"Não, abençoado; beijar, só a Rebeca", filha do pastor. E beijei sem entender direito o porquê, num ato direcionado e premeditado por terceiros.

Rebeca, que aos dezesseis teria mais coragem do que eu tive na vida inteira, fugiria pra Argentina com Mariana, "melhor amiga", como disse seu pai numa reunião urgente com os membros da igreja. Todo final de culto pedia por ela, que se transformara em cantora famosa de MPB, mas que precisava retornar aos caminhos do Senhor.

"Amém", eu sempre dizia. Covarde. Enquanto ela chupava e lambia o que adorava, eu pegava no microfone, sonhando que fosse um... um...

A primeira vez que fui homofóbico

"Isto não é de deus!", disse ao meu melhor amigo, aos doze anos, quando ele me confessou gostar de meninos. Antes de falar, titubeei. Não sabia se confessava "eu também" ou se o repreendia em nome de Jesus, o todo-poderoso. Ele aguardava minha resposta como quem aguarda um ombro a se apoiar. E eu só pensava em Mamãe gritando "melhor morto do que bicha!", ao pedir às irmãs que orassem por mim.

Eu morreria, então, com o segredo.

"Isto não é coisa de Deus. Se fosse, dois homens poderiam ter um filho." Reproduzia o que ouvia por aí — e ouvia muito, Mamãe suspeitava dos meus trejeitos e me consertava a todo custo.

Ele ignorou a resposta, me deu um beijinho na bochecha — até hoje sinto o calor — e correu pra bater no esconderijo. Saí da brincadeira, fui pra casa. Uma hora depois ele apareceu dizendo que estavam todos procurando por mim.

Nunca me encontraram.

Eu estava bem escondido.

O dia em que flagrei Mamãe e meu pai fazendo sexo

"E do cuzinho?" Mamãe perguntou. "Dele você gosta, né?"

Meu pai não era filho da igreja, mas um "desviado", como o chamavam. Parte por ser caminhoneiro e parte por ser assim mesmo. Ele tinha suas putas e todo mundo sabia. Era figura frequente no círculo de oração e no acostamento das rodovias.

O para-brisa de seu caminhão gritava "Deus é +" em um adesivo enorme. Mamãe usava essa abertura para intimidá-lo ao culto sempre que ele estava em casa. "Você precisa se batizar em Jesus, nosso senhor. Quando criança não conta." Ele ria, bobalhão, e dizia que não dava.

Não dava, por quê?

Não dava, oras.

Certo dia, logo cedo, irritado, pouco antes de partir, arrancou o adesivo e jogou no lixo da cozinha. "Não vou pra água!" Arrependido, ao anoitecer, comprou um adesivo ainda maior e disse que iria se batizar. Deus tocara seu coração através de uma música na rádio.

Naquela noite, Mamãe ofereceu o cuzinho, numa cena que ainda me causa náuseas. Entrei no quarto escuro, em silêncio. Sempre muito calado. Não ouviram nada. Ele de joelhos, por trás, indo e voltando. Ela agarrava-se à cabeceira, palavrões e palavrões, pedindo mais e mais fundo, quanto mais melhor, vagabundo!

Na manhã seguinte ele se batizou e estava salvo nas graças de Jesus. Mamãe chorou, eu chorei — muito por ainda não conseguir tirar a imagem da noite anterior da minha cabeça. No cuzinho é bom. Mamãe sabia disso. Pai sabia disso. Eu ainda não.

Festa, oração e muita entrega no batismo. Todos estavam felizes e falavam em línguas estranhas, cantavam em louvor ao grandioso e profetizavam acerca da vida do novo convertido: "Terá sua própria frota em menos de trinta e seis meses, irmão!", dissera o pastor.

Quatro anos mais tarde eu me lembraria daquela manhã, quando fomos, a pedido da polícia, na beira desse mesmo rio, para ver papai morto, afogado, bêbado, pelado e sem a prometida frota.

Quando dizem aquilo que você ainda não é capaz de compreender

Precisei quebrar qualquer conceito que você, senhor, tinha de linearidade da história. Estou tendo um dia ruim no hospital — calma, ainda falarei do hospital — e precisei me lembrar de um dos melhores acontecimentos desta triste vida que tive.

Gabriel García Márquez. Conheci aos quinze anos, em mais uma leitura escondida. Depois dele, meu *boymagia,* como dizem, deixou de ser loiro de olhos azuis para ser mulato de sangue latino, cigano e viril...

Antes de dissertar sobre o latino viril..., digo que aos quinze já sabia da minha condição e por mais que orasse e jejuasse, buscando o fim desta doença, os hormônios [como é bom culpá-los!] me levavam a punhetas e punhetas, idealizando meu José Arcadio: forte, tatuado, dominador de línguas e conhecedor dos segredos do mundo.

Contra tudo o que eu acreditava. Amém.

E contra todas as possibilidades, já adulto, quando morava sozinho, conheci um homem desses que acreditava no que eu pensava acreditar. Um missionário, nos termos de Gabito, lá da Colômbia, veio para cá. De bíblia e violão, pregou o evangelho da igreja primitiva. Do amor e da aceitação. Do amor ao outro, da aceitação do diferente.

Pela primeira vez senti-me acolhido não pelos braços de um homem, mas pelas palavras.

Drogados, assassinos, bêbados, ladrões, mentirosos, adúlteros, caluniadores, falsos, todos sempre foram aceitos na igreja.

Gays, não.

"Amamos o pecador, mas não o pecado", quanta balela...

Acolhi o missionário em minha casa. No terceiro dia, quando ele partiria, sentou ao pé da minha cama, contou a história de como escapou do tráfico de cocaína e revelou que sabia do meu segredo. Era evidente. Me fizera jurar que, quando ele voltasse, eu teria revelado a todos. Consenti, sem fitar seus olhos.

"Eu precisei fugir para viver. Você precisa parar de fugir e viver." Ele sorriu, deu um beijo em minha testa e, antes de sair, disse: "O Senhor aceita".

O senhor não aceita. Não o senhor que aprendi, não o senhor, senhor. Talvez, se o colombiano tivesse ficado...

Ele voltou anos mais tarde por um único dia e depois partiu. Foi morto em missão num país muçulmano.

E como um personagem de *Cem anos de solidão*, sofri da epidemia da insônia e chorei por dias. Tinha um bicho dentro do meu peito. Um bicho que pedia pelo mulato. Um bicho que apenas gostava de outros bichos. Se existe o céu desse senhor que ele pregava, nós nos encontraremos em breve. E talvez lá o meu peito se liberte e eu deixe de ser bicho para ser bicha... homem.

E quando me casei, todos bateram palmas em glórias e aleluias

Como foi belo o meu casamento. E eu a amo. Amo suas gentis palavras, seus carinhosos gestos. Amo também seu sexo e o que ela é, o sorriso e o jeito que acorda de manhã cedo, sempre com um breve comentário sobre o que sonhou e de como dormira bem.

Esse amor, porém, não me completa; não que seja vazio, apenas... nem todas as paixões preenchem.

Tinha vinte e seis anos quando me casei.

O senhor toma por inútil essa informação. Longe da cultura evangélica, mal sabe por que a idade importa, mas preste atenção e entenderá o drama: pastor, vinte e seis, morando sozinho, solteiro...? Não pra santidade da igreja, que iniciou uma campanha em busca da varoa perfeita para mim.

Poucos e curtos encontros; eu, de boca quase sempre calada e afeto ainda mais reservado, recolhia os braços, cruzados ao peito, vítima do meu próprio olhar compenetrado, mais sério do que deveria, menos interessante do que imaginavam. De olho no fim da situação, quando ela, a esposa, apareceu, houve um encontro de almas, peguei suas mãos e acreditei que minha atração por homens teria fim.

Nunca! Nunca! Nunca!!!

Veja você, senhor, ainda sofro de instabilidade... perdoe minha dificuldade em abordar os assuntos. Tentei manter-me passivo e cândido ao narrar o casamento, mas a verdade é crua, suja, nojenta... deem-me tempo e alguns capítulos, vocês entenderão.

Levei-a para morar em casa, crendo que fazia boa ação. As maritacas da igreja começaram a gorar, acusando-me de pecado e iniquidade aos olhos de deus. Eu seria afastado do altar caso não tivesse revelado minhas intenções: casamento! E então todas vieram parabenizar, planejar cardápio e culto.

Bando de crentes frustradas. Vestem saia pra ver se ganham uma rapidinha. Roçam-as no cano da bicicleta pra ver se sentem alguma coisa.

Sorri e aceitei a ajuda de todas: para a glória do senhor. Casei num sábado, igreja lotada. Ainda virgem: de mulher. Passei a lua de mel em Gramado. Recomendação do pastor: não era bom ir à praia: pouca roupa, muita tentação.

Estirado na cama, as mãos da esposa roçavam os pelos do meu peito, ela sorria de canto de lábio, deitada nos meus braços; movia-se a tesão, possuída de encanto pelo varão perfeito que encontrara. Entrelaçou as pernas, minhas às suas, sussurrando no ouvido pra que na cama existisse apenas um ser, nem homem, nem mulher.

Fazia tudo o que ela mandava, perdido em meus deveres e direitos. Pela primeira vez uma mulher tocou em meu pinto. E o tocou de uma maneira diferente de todas que eu havia sentido. Não, a melhor: a mais significativa; estava eu ali, aos braços do senhor, em perfeita harmonia com suas escrituras.

Sexo com minha esposa apenas depois do casamento. O tempo: presente perfeito. Deus perdoa o passado e dele já não se lembra. Pedi, depois da noite, que nem eu recordasse o que já fizera e o que gostava de fazer, que esquecesse homoafetividade, e uma revolução separatista levasse a veadagem para longe de mim.

Pedido negado, senhor.

Um pau duro ainda me excita.

Mamãe e a proibição das coisas do diabo

Voltando aos livros, sempre fui fã confesso dos gênios e também dos não tão gênios. Mamãe, por outro lado, classificava tudo por "de deus", "do diabo". Logo, imagine, Madame Bovary de deus não seria. "Obra do maligno", ela gritava pra Dorian Gray e Brás Cubas: "Livro de morto????? Isso aí é pregação espírita!!".

Não a julgava; na cabeça dela, fazia sentido. Andava de lá pra cá, as pernas curtas, tentando pegar de mim tudo o que era pecaminoso. Mamãe nunca quis entender a função dos livros. Uma professora de literatura tentara me ajudar; boa moça, mas apareceu em casa de decote e, antes de qualquer palavra, tudo o que poderia ser feito já estava despejado ao chão.

Segundo Mamãe, morto não falava e era obra diabólica, lobo que se veste de cordeiro com discurso barato de "caridade". Anos antes de tudo isso, de clássicos e leituras, contei uma história a ela que tinha um pipi como personagem.

"Pecado!", e arrastou-me ao círculo de oração da igreja, a fim de que as irmãs orassem por mim: "Derrama teu poder, senhor! A tua glória! Edifica esta mente! Purifique-a de Lúcifer! Expulsa as criaturas malignas".

Eu tinha sete anos e ali nascia uma rixa eterna: eu e meu pipi. Nunca me rebelei, covarde demais; e só agora me rebelo, pronto pra morrer, usando um diário suicida — que original!

Pipi, pinto, caralho, cacete, berinjela, pênis, broca, pepino, pepeu, piroca, banana, benga, cajado, nenuno, choriço, giromba, jeba, pemba, peru, pirrola, pirulito, porreta, rola, trolhão e o melhor de todos: pau. De preferência, dos grossos, porque tamanho não importa, mas largura, sim. Amém.

Susto

Abri estas memórias hoje, reli a quantidade de blasfêmias que escrevi e, pior, como as descrevi; promíscuas, imundas!

Apoderou-se de mim algo diferente. Não sei dizer se era o espírito de deus ou de luxúria. Pobre, abominável, esta possessão me ludibria, engana, aparta-me das obras divinas, incorre em mim lascívia: o desejo de prostituição, que seja com as palavras, não importa: corrupção da alma. Perco-me naquilo que escrevo, entrego-me ao desejo de derrubar o senhor, se não por nocaute, por cansaço, e uma revelação aqui, outro palavrão ali, revanchismo espiritual, busco vingança e sei que, perdoe-me, senhor, não vou parar por aqui.

Um eu antes deste hospital, novo eu nele; estou a quebrar e contrariar todas minhas ações. Se, durante a vida, fui simples, na morte quero ser complexo; se fui cuidadoso, quero ser desprecavido; se fui amoroso, quero ser implacável; se fui santo, quero ser pecado — e que seja assim mesmo, descarado.

O que é amor?

Perguntou a tia que cuidava das crianças na hora do culto.

Mariana respondeu: "É quando a Luísa da escola divide o lanche comigo".

Tiago (cantando um hino da igreja), acrescentou: "Bem maior...".

Ana Milena emendou: "Quando minha mãe briga comigo e faz as pazes e a gente come chocolate".

João disse: "Quando eu faço bagunça e me machuco e minha mãe cuida de mim".

Carolina falou: "Quando meu pai e minha mãe ficam junto comigo".

Daniel também respondeu: "Quando minha mãe me colocava pra dormir e lia uma historinha".

Lara respondeu: "Não sei... *(tenta...)* quando a Bolinha deita no meu pé e eu faço carinho nela".

Eu disse: "Quando venho na igreja e canto pra Jesus".

Deus me deu o livre-arbítrio, minha mãe o tirou.

Quando refaço o caminho até aqui, vejo como meu percurso foi cerceado pela figura de Mamãe. Grandes chances de ela ser culpada por eu estar internado, inclusive.

Não me fez apenas filho, mas também pastor. Advogado, médico, administrador, cientista, jogador, empresário. Nunca tive opção. Covarde, já disse, senhor. Pelo amor que sempre tive por Mamãe, limitei-me à igreja. Lamentava sua solidão e seguia seus passos: de segunda a segunda no templo.

Logo, era aquilo que eu fazia; que eu sabia fazer. Pregava para irmão de onze, doze, dezesseis, dezoito, vinte anos. Mamãe me fez reprimido, não especial. Com quinze, eu ficava depois do culto, tirando dúvidas e orando. Com dezesseis, Mamãe saiu da congregação e, sem perguntar se eu queria, arrastou-me para uma igreja neopentecostal, onde eu também me destacaria, mas só até ganhar uma bênção, sem ter a chance de pregar.

Eu recolhia dízimo, limpava o banheiro, lia salmos, mas nunca pregava. Teria me importado, caso não tivesse companhia de um irmão de dezoito anos, loiro e magro. A primeira vez que tentou, pedi que parasse. Eu não estava pronto. Usei as mãos e ele jorrou em minha roupa.

Lembro-me do quão desesperado fiquei. O cheiro, único. Enchemos um balde de água e derrubamos em mim.

— Eu estava indo limpar o banheiro quando ele me deu um susto. Filho da...

—Não diga palavrão aqui. Aqui e em lugar algum! — alertou-me Mamãe.

Inevitável. Recordei da noite do cuzinho e quis rir.

Quando ela se afastou, revelei pra ele que daria tudo na semana que vem. Não dei. Sempre protelava. Ao ter me decidido, ele foi promovido a obreiro e só andava com o pastor; abaixava a cabeça ao passar por mim, sequer trocava olhares. Tempo depois, foi expulso da igreja. Apalpara a virilha do pastor, que não pensou duas vezes:

— Ele manteve-se corrompido e recusou o perdão de Cristo. Foi a única saída, irmãos.

As matracas da igreja diziam que ele se tornara gigolô. Como odeio suposições, investiguei e fiz questão de que ele fosse o meu primeiro homem. Fino, mas habilidoso.

Apócrifos do homem morto: josé do egito (viaduto da cidade)

Andando pelo deserto de pedra havia um homem chamado josé, que culpava céus e terras por ter sido abandonado. "Quem te abandonou, josé?", perguntei, olhando pros seus pés peludos e canelas secas: "Todos", ele respondeu, direto, desinteressado no que eu tinha pra falar. "Só você fala, josé?" Chacoalhou a cabeça e sacou um cigarro do bolso, apontou pra mim: "Fume. Não confio em quem não tem vícios". "E qual teu vício, josé?" Ele pisou no maço de cigarro, gesticulando pra si mesmo, orientando a própria consciência, viciado em seu personagem. Essa era a cruz dele, permanente e eterna: carregar a imagem de profeta e intérprete de sonhos. "Lembre-se de mim quando encontrar um lugar melhor", ele pediu. E depois disse: "Seu sonho... seu sonho não é onírico, deitado, dormindo, seu sonho é ser leve... flutuar nas graças do senhor... seu sonho é encontrar paz! Você irá encontrar...".

Maldito josé; morreu de fome, profeta das causas inalcançáveis, intérprete dos sonhos impossíveis.

O dia em que terminei definitivamente com meu grande amor: ELE

— Quando eu perder a minha alma, vou me lembrar de hoje e tudo terá valido a pena — ele disse, dramático. Dias antes, havíamos nos separado. Ele tentava uma reconciliação. Logo seus braços me tocaram; e mais do que singeleza, senti amor. Mais do que dor, senti autopiedade. Mais do que do que calor, senti seu pênis me roçando. Mais do que sussurro, senti sua língua adentrando meus ouvidos, eclodindo um som proibido; um som que não o levaria à morte, mas à vergonha. Triste, segurei seus braços.

— Não posso e não quero. Não sou mais assim, você sabe.

Ele respondeu:

— Não, eu não sei.

Levou a mão ao meu sexo. Constatou que continuava em descanso e se afastou. Acusou-me de traição, de impureza, de fraqueza.

— Reencontrei Jesus — eu disse — e ainda não perdoei o que você fez.

Ele perguntou se o Mestre havia gentilmente colocado sua pesada cruz em meu ânus, porque eu devia ter gostado muito.

— Você ainda encontrará seu caminho...

— Foda-se, vai tomar no teu cu, seu veado enrustido. Você se esconde atrás desse paletó de pastor e dessa bíblia no braço.

— E você, não?

Pegou o livro sagrado e o atirou em minha direção. No estômago. Mantive-me em pé, sem retorcer qualquer parte do corpo.

— Vá, querido, para nunca mais voltar. — Eu, sozinho, fiquei. A Ele, senhor, cuide de sua pobre alma, do desgosto que atormenta sua mente. Faça dele uma rocha, Ó, senhor.

Recolhi o livro sagrado do chão e o coloquei na mesa, ao lado do meu teste recém-chegado.

HIV — POSITIVO

Notas do último capítulo

Senhor, eu disse que não avisaria qualquer prévia alteração de estilo. Estava cansado de só relatar e preferi contar como num romance. Talvez siga assim por todas as histórias d'Ele, o grande amor da minha vida. E talvez por outras histórias, não sei.

Senhor, já entendeu por que estou no hospital?

Falar em voz alta é mais fácil do que colocar nestas memórias dissolúveis o que faço aqui, por mais que você, coletor deste livreto, já saiba.

Síndrome da imunodeficiência adquirida. Atacou meu sistema imunológico, atingindo os linfócitos T CD4+ — sim, eu sei muito bem disso. Então a síndrome altera o DNA dessas células, multiplica-se e rompe os linfócitos em busca de mais vítimas. E assim sucessivamente, até que fiquei sem chance, a não ser fugir da igreja e ser internado num hospital católico.

Estamos em 2014, e eu aqui por causa da AIDS, maldição dos meus semelhantes há décadas. Maldito estereótipo! A doença, que parecia controlada ao redor do mundo, voltou a crescer em determinadas regiões do planeta, inclusive no meu ânus.

Escrevo isso com um sorriso triste, sem ter certeza de querer continuar essas memórias ou esse assunto. O pior... o pior é saber como minha esposa crê que fui infectado, da maneira mais brutal e traiçoeira para ela, do único modo que...

O meu silêncio foi a minha cova

Senhor, como pode perceber, interrompi minhas escrituras no meio do capítulo anterior. Você não viu, mas depois daquilo tive uma queda de pressão, quase a zero, precisei ser amparado e me mantive afastado por alguns dias, desejo próprio e necessidade de tempo para refletir. Desculpe, mas não posso garantir que será a última e única vez.

Retornei, então, para relatar:

Sentado no banco da igreja, encontrava os melhores sentimentos alguns segundos antes de pregar; um preenchimento que começava nas mãos, percorria o corpo todo, pernas, pescoço, cotovelos e lábios; os lábios coçavam e as palavras gemiam antes de sair.

Eu soube das coisas! Vi a bíblia com todos os olhos: de fé e sem fé. Tentei compreender a Palavra de deus. E compreendi, senhor, que de definitivo ela não tem nada.

A primeira vez que esse estalo me ocorreu foi na subida de um altar; tenso, despreparado, percebi a falsidade do dízimo e a descrença dos irmãos no amor. Doa-se o quanto quiser, do tudo ao nada. Mas não por obrigatoriedade, por lei. Não... por amor e só.

Lá de cima, negar a bíblia seria heresia. Há lógica no pensamento religioso, por mais que se neguem a compreender: se deus é deus e todo-poderoso, ele poderia manter a palavra intacta ao longo dos milênios.

Assim, a dúvida da imutabilidade da bíblia tem fim. Eu sei disso.

Sei também da existência de nefilins, de homens gigantes. De tudo o que me foi apresentado. Sei do prazer do pecado, da mulher e do homem. Sei da vagina e também do pênis.

Eu não soube, porém, revelar às minhas ovelhas; não tive coragem e resguardei tudo. Até da igreja me afastei, por breve período na juventude, tentando encontrar o "eu", mas não pude. Pertenço à igreja: meu povo, minha religião, minha cruz. Meu altar.

...

O silêncio foi a minha cova: dia após dia, um punhado de terra é atirado em mim até que eu esteja submerso, em eterno silêncio:

Bicha calada.

Eu seria um grande pregador

Conheço as tuas obras, que nem és frio nem quente;
quem dera foras frio ou quente!
Assim, porque és morno, e não és frio nem quente,
vomitar-te-ei da minha boca. [Apocalipse 3:15-16]

Um profeta segurou as minhas mãos ainda de criança e revelou "não caia em tentação e será um dos maiores pregadores vivos deste país!".

Como já deixei claro, o meu silêncio causou grandes dores e manteve-me num estado de mornidão, sem ir nem vir, estático. Se fosse, teria sido um grande pregador. Se viesse, talvez lutasse pelos direitos homos, pela igreja inclusiva.

Até hoje, entretanto, desconheço em qual tentação caí. Se foi pelo fato de ser veado, pelos adultérios que cometi ou, ainda, por ser um falso profeta. Em todas as circunstâncias, deslizei das mãos de deus tantas vezes quanto pude.

Ou ainda — e tiro esse pensamento da cartola, para dar um pouco de vida aos meus últimos dias: serei um grande pregador, se não com a boca, com estas memórias.

ELE

O teu corpo no meu corpo, sem pressa, sem promessa... teu corpo no meu, prolongado, tocou-me como um raio que toca o solo. Nada havia e nada há, mas no ínfimo de segundo do toque:

Terra devastada.

Para todo o sempre.

E eu ainda não consigo pronunciar teu nome. Quem sabe ao final... quem sabe.

Capitulo do prazer

8=======>

Pobre bianca

Ontem minha mulher veio ao hospital. Ela sempre vem, não falta um dia, nunca deixa de trazer algo gostoso pra comer, e às vezes vem para ser comida. São os momentos mais felizes que tenho. Ela não fica muito tempo, precisa cuidar das crianças e trabalhar. Tudo bem, eu gosto de estar sozinho, tenho tempo para escrever ao senhor e também de pensar e ler.

... Mentira babaca, odeio ficar sozinho como odeio ter nascido veado, tenho medo da minha própria sombra, e que o próprio deus apareça pra cortar meu pinto fora.

Sim, transamos ontem. Ela sentou no meu pau e fez todo o trabalho. O importante para ela não era eu, em espírito, mas eu, fisicamente. Poderia ser até o próprio Jeová ...não, muito pesada essa. Poderia ser um vibrador. Ela precisava dar. E só. Não fico triste, ao menos consigo ser útil. É como se eu devesse algo a ela, por tudo o que a fiz passar, pela grande mentira que ela vive...

E você, senhor, ainda nem sabe qual mentira é essa. Lê o trecho achando que entende tudo, quando na verdade omito a pior das mentiras, e, maldito seja, tenho coragem de sugerir uma transa entre minha mulher e deus, mas me recuso a revelar o que escondo.

Por pouco tempo, senhor, prometo. Por pouco tempo.

Capítulo das prerrogativas quase inúteis #1: masturbando com o santo

Quando o papa veio ao Brasil, em 2013, teve sua caravana de fiéis numa caminhada. Mas, no meio dela, o cúmulo do absurdo aconteceu. E escrevo sobre isso porque esse episódio, mesmo depois de tanto tempo, ainda me abisma.

Há anos, vi um pastor chutando e quebrando uma imagem de Nossa Senhora, a pretinha, a mesma que tem aqui no hospital, em televisão aberta, para o Brasil inteiro ver. Virou notícia, polêmica e tudo o mais.

E então, uns jovens, em meio à Jornada dos católicos, tiraram as roupas — senhor, como são rebeldes [!] — colocaram camisinhas nos santos e passaram em seus órgãos.

Nojentos. E teve *gay* que nasceu virado pra lua, dizendo que fizeram certo. Gente que se diz intelectual batendo palma e tentando justificar com "os anos de opressão da igreja".

Chora quando evangélico vai na parada *gay*, como já fui e relatarei aqui, mas acha bonitão ir numa jornada, ficar pelado e humilhar o sagrado do próximo.

Amor à causa? Quer só chamar atenção e fazer de conta que luta por algo.

Se ainda são reprimidos, por que reprimir e humilhar os outros? Declarar guerra a suas crenças é o pior caminho. Se querem igualdade, respeitem o católico e o evangélico, até porque existem *gays* religiosos.

Passar santo na boceta? Em público? Cadê a polícia? Queriam causar, e as velhinhas ainda foram solidárias. Tomaram dois tocos na bunda: o ridículo pelo que fizeram e a solidariedade de quem queriam agredir. Reclamam da hipocrisia do mundo, mas são os maiores hipócritas vivos.

A visão de Cristo sobre as águas

— Teu pai era um homem de honra, meu filho. Humano... tinha seus pecados... mas era homem! De família! Sempre voltava... Deus há de ter um lugar para ele... por mim...

Mamãe desvirtuava as palavras do senhor quando ele diz que a salvação é individual. Papai estava ali, na nossa frente, estirado, nu, afogado, de olhos abertos e imóveis: liberto.

— Você acha, não acha?? Deus tem um lugar pra ele, não tem, meu filho? Você é inteligente... sabe das palavras... o que você acha?

Desesperada, agarrava meus ombros, as lágrimas escorriam pelos meus cabelos comprimidos contra seu queixo. Clamava pelo sangue de Jesus; ele já não tinha mais sangue: era espírito, não carne. O sangue metafísico, da fé, é capaz de fazer milagres. Ali pedi que papai ressuscitasse, seus olhos se movessem, as pernas esticassem, e as curtas palavras fossem ditas.

— Que que foi, mulher? Tá chorando por quê????

Ele não acordou. Mamãe estava agarrada ao seu corpo, como se tentasse reanimá-lo. Satanás e seus demônios deviam rir daquela cena. Os olhos dela saltavam e os gritos percorriam as águas.

Ninguém pode ouvi-los, mãe... Questionei deus. Não com autoridade, com dúvida: por que, senhor? Por que uns têm de ir, e outros ficam? Qual o critério?

Descobri que a vida é tão fina quanto a folha de uma bíblia e, naquele momento, ambas injustas.

Não com meu pai, bêbado e traidor, mas com Mamãe, comigo, por dependermos de uma criatura tão desventurada. A pedido do homem de branco, Mamãe soltou o corpo moribundo, agarrou meus braços e chorou.

— Calma, mãe, calma...

Mal o pedido saiu dos meus lábios, desatei a chorar, entregue ao fim de uma era; de braços abertos, esperei os pregos da cruz. E quando todos já haviam partido, menos eu e ela, vi Cristo andar sobre as águas, de cabeça baixa. Ele ergueu os braços em minha direção e mandou-me ser.

Seja.

Seja o quê, senhor? Pergunto agora o que não perguntei naquele momento. Ser o quê, Jesus? Que tipo de caminho traçou pra mim? Dediquei os dias de minha vida à tua causa e permaneci *gay*! Dediquei os dias de minha vida à tua causa e estou internado no hospital. Dediquei... dediquei...

Perdão, senhor! Pela afronta... pela dúvida... preciso saber. Ser o quê? Grandes coisas não me esperam, deus. Ou a morte, ou a vergonha eterna. Tua palavra restringiu minhas ações, teus fiéis romperam minha inocência, tua existência arrancou meu livre-arbítrio, teu sacrifício, cordeiro, redimiu meus pecados...

Por que tanta lei? Por que tanta dor? Por que não consigo acreditar que basta amar? Por que existe uma bíblia? Por que só o senhor é deus?!

Entreguei minha vontade, minha vida, minhas paixões, meus sonhos, aguardando teu fogo, tua cura, tua libertação: caia fogo dos céus!

Incendeia este homem...

Mamãe olhou para trás e não viu Cristo, mas o meu relato acalentou seu coração. Ela entendeu que o senhor andava com ela, mas eu só vi que o senhor andava sobre as águas... e isso não é nada comparado a andar ao meu lado, coisa que nunca fez.

Das coisas que ainda não falei

Muitas mantenho em silêncio, como meus filhos ou meus irmãos, por não terem sido necessários a esta história ainda. Imaginar meus meninos nestas páginas de... total redenção, me derruba. Pior: pensar neles me faz querer desistir de escrevê-las.

Sobre meus irmãos, o único ao qual sempre fui próximo é Lucas, o primeiro e único a saber de minha condição. Já com Marta e Matusalém, bem mais velhos do que eu, pouco contato tive. Matusalém foi o primeiro a morrer — o nome não botara muita pressão na vida. Marta morava no Recife, casada, mãe de três filhos.

Lucas começara num novo trabalho pouco antes de eu chegar aqui. Dele tenho uma boa história a contar, não agora, pois estou retomando as coisas que ainda preciso revelar.

Pretendo contar com detalhes a primeira noite em que dei a bunda, como conheci Ele e outras coisas mais. Além de revelar, enfim, superando qualquer orgulho, como descobri a doença que me trouxe aqui.

O primeiro dia com minha esposa em casa

Ela apareceu na igreja. Mulher da vida. Da minha vida. Recebi na minha casa, como já contei. A futura esposa chegou suja e faminta. Dei banho e comida. Nessa época, eu morava sozinho, depois de muito custo e discussão com Mamãe. Sem saber como agradecer, enquanto eu lia, ela apareceu no meu quarto, lá pro fim da noite, nua.

De peitos grandes e firmes, me encarou. Passou a mão sob os poucos pelos no meio de suas pernas. Senti um formigamento no pinto, não entendi o que significava. Talvez eu não fosse completamente veado, lembro-me de ter pensado, enquanto escolhia palavras pra perguntar o que ela estava fazendo.

— Vim dizer obrigado — sorriu.

— Não é assim que agradecemos — respondi, tentando manter os olhos em seu rosto. — Diga obrigado e vista-se, não precisamos disso.

— Essa é minha forma de agradecer... só obrigado nunca serviu pra ninguém. Por que serviria pra você? Estou aqui. Ninguém está vendo. Aproveite, pastor.

— deus está vendo!

Ela cobriu os seios, abaixou a cabeça, parecia prestes a chorar. Levantei da cama. A futura esposa caminhou até mim. Empurrei-a. Não! Colocou a mão no meu pinto, um calafrio.

— Eu sabia... o senhor gosta de homens. — Sentei na cama, incapaz de negar ao primeiro instante. — Tive muitos amigos assim... eu percebo essas coisas rápido.

Você está errada, minha querida. Eu sou um homem como você nunca conheceu... sou ungido pela glória do senhor Jesus Cristo, fortificado para superar todas as tentações da carne e me render apenas ao Espírito Santo de deus. Nada que vem deste mundo me preenche, querida. Vou deixar que fique aqui por mais alguns dias, porém, não tolerarei atitudes como essa, bianca.

Ela pareceu convencida, sentou-se ao meu lado e começou a chorar. — Perdão! — suplicava. Não queria mais a vida que tinha, precisava de uma renovação, de um sopro divino. Naquela noite, a ex-prostituta, pelada em minha cama, aceitou Cristo, pelas palavras de um *gay* cada vez mais escondido.

O Ateneu

Quando ela, a ex-puta, apareceu no meu quarto, eu lia um livro específico. Na verdade, relia, depois de ter me esquecido de sua existência durante anos. Quando o comprei, foi pela internet, a fim de evitar qualquer possível encontro indesejado com fiéis.

Muito antes disso, porém, a primeira vez que iniciei *O Ateneu* foi, como sempre, escondido. A maneira que a obra me tocou fez com que eu fosse desatento, e Mamãe pegou-me com ele em mãos.

— Caso o senhor não saiba, Raul Pompeia publicou esse ultraje de livro em 1888: a homossexualidade foi lá retratada.

Assim que ela viu, arrancou-o de mim e, com dificuldade, leu um trecho da obra.

Arrastou-me não só para o círculo de oração, mas também para a vara e, por mim, determinou um jejum de três dias. Jejuns são naturais na igreja: para que se abdique do mundo e se esteja entregue de corpo e alma a deus. Conceito lindo: abrir mão da refeição por uma crença, sacrifício e empenho.

Ignorando que jejum deve ser feito por vontade própria, Mamãe me submeteu a um período completo de setenta e duas horas sem comida. Direito só à água. Não concluí, passei mal e precisei de alimento — o que só aconteceu quando meu pai chegou em casa e obrigou-a a me dar o que comer.

Naquela época, ainda via o senhor em *O Ateneu*, no amor, independente por quem. Mas os irmãos não partilhavam do que eu via. Aprendi, então, que deus é amor. Mas só é amor daquilo que eu amo.

Os gays querem dominar o mundo

Querem dominar o congresso brasileiro, destruir a instituição da família e propagar o caos, subverter todas as crianças e transformá-las em aberrações sexuais, transando cada vez mais cedo para incentivar o ciclo vicioso e delicioso do sexo pelo sexo; querem também desvirtuar todas as pessoas, as classes e as igrejas, instalando a desordem moral e o fim da ética, perseguindo todas as formas de religiosidade, só se prostrarão nesse altar para pagar boquetes; ajoelhou, tem que rezar! Querem perseguir os heterossexuais e acabar com essa raça retrógrada da sociedade, lançarão bacanais a todos os instantes, orgias das mais variadas serão financiadas pelo governo em todas as localidades para todas as classes; senhas serão distribuídas e nenhum parceiro será fixo, para não haver existência de vínculo amoroso; querem o fim do amor e o apego máximo ao carnal, subvertendo todos os valores, não só cristãos, mas budistas, islâmicos, pagãos e ateístas, nosso deus varia de sexo, se for homem, é um pênis, se for mulher, uma vagina — a adoração é exclusiva ao seu gênero. São *gays* e querem a prisão e morte de quem não é *gay* em praça pública, de preferência, na fogueira, a fim de destruir pelo fogo do inferno (lar deles) tudo aquilo que representa o cidadão de bem! Isso é apenas o que querem, o que têm direito!

Você já leu a bíblia hoje?

Eu tinha paixão pelos livros da bíblia: salmos, provérbios e cantares. Ah, cantares! Como Mamãe proibia qualquer tipo de leitura, deliciava-me ao longo do erotismo — e confesso ter... sonhado... com os versos dele.

Mamãe proibia *O Ateneu*, mas liberava:

"Já despi a minha túnica, hei de vesti-la outra vez? O meu amado meteu a mão por uma fresta, e o meu coração se comoveu por amor dele." (Cânticos 5:3)

Enfim, capítulo inútil, com o único objetivo de escrever sobre algo que nunca comentei com ninguém.

Segunda parte

Não resta muito de mim

Hoje, dia mais nublado. Uma das enfermeiras passou os olhos tristes por mim, quase que decretando o fim de uma singular diáspora: a dispersão de mim mesmo. O fim se aproxima, eu sei.

Frígido. Longe de sentir o amor de deus, afastado por pura e livre pressão. Destituído da crença, arrancaram-me a única certeza que sempre tive: de que o senhor me ouve.

Não o questiono, longe do meu ser. Aceito, como sempre aceitei. Na verdade, a única condição que rejeitei não foi nem a AIDS, mas a doença. A doença de ser *gay*. Sozinho, busquei as mais diferentes soluções dentro das leis divinas, e não a encontrei. Talvez se buscasse ajuda externa... mas com que cara eu admitiria ser uma aberração?

O fim se aproxima... e a minha única urgência é concluir estas memórias, revelar tudo e partir para um lugar onde eu, ao menos, serei o que sou. Amém.

Como descobri a ***, enfim

— Eu tenho uma célula agora — falei, vestindo as calças.

— Fica...

— Não posso, você sabe. — Ele levantou, disse que eu estava muito magro, seu pau à mostra, mole, pequeno. Nunca entendi como aquilo cresce pra mais de dezesseis centímetros. Os pelos quase o tampavam, mas não havia pudor nos olhos. Sentou na beirada da cama, cruzou as pernas, como sempre fazia, delicado, abriu a braguilha da minha calça. Só uma chupada, você merece.

Abaixou minhas roupas, segurou meu pau e o examinou, com curiosidade. Parecia admirar: e eu sempre tive um belo de um pau. Grosso, bonito, num tamanho ideal. "É lindo." Eu sei, pode parar de falar agora. Numa bela de uma lambida, passou a língua por toda a cabeça. Agarrei seus cabelos e mandei engolir. Em vão. Ele continuou lambendo, e meu tesão crescia. A cada lambida eu via o paraíso. Melhor do que isso não pode ser. Até que ele engoliu. Uma garganta espaçosa. Bombei como se enfiasse em seu cu. Tirou meu pau da boca, chupou a cabeça enquanto batia com a mão. Olhou pra cima e sorriu.

O que ele queria era óbvio. Empurrei-o pra cama e tirei por inteiro minha calça. Beijei seu pau, mandei que virasse, de quatro. Lambi todo o seu cu, oferecendo tudo o que tinha. Pronto, me avisou. Enfiei, cuidadoso, primeira vez de ativo com ele. Dor e prazer, eu sabia o que ele sentia. Sinto sempre. Cada vez com mais prazer e menos dor. Ele tinha um cu largo, receptivo, quente. Inclinei para frente, agarrei o pescoço, beijei a orelha.

— Vou estourar teu cu.

— Estoura! Estouraa!!!!!!

— Vou te foder o resto da vida.

Enfiei o mais fundo que pude e continuei, até gozar. Ele rebolou com meu pau dentro e gritou. Caiu na cama. Beijei sua bunda, vesti as calças, penteei o cabelo e saí.

Percebi-me mais cansado do que o normal.

O celular tocou. Esposa.

— Onde você está, querido?

— Saindo de uma reunião. Acho que posso ter conseguido algo grande pra igreja... mas ainda não posso dizer o que é (haha), que deus abençoe. Ajuda na oração!

— É lógico que sim, meu amor... mas precisamos de outra oração. Pode vir pra casa? Algo importante chegou pra você.

— Bianca, tenho célula agora, não posso. Sabe como valorizo o grupo. Sinto que cada vez progredimos mais e mais na glória do senhor.

— Querido... é muito importante. Você precisa vir.

— Bi, já disse: vou logo depois da célula. Semana passada já perdi e deus sabe o quão triste fiquei. A conversa pode esperar um pouco?

Ela pareceu relutar e, ah, senhor, se eu soubesse o que estava por vir, não teria recusado a ida ou demorado tanto. Partiria de imediato, o fim da vida me esperava naquela conversa.

Na verdade, talvez eu devesse ter é demorado mais. Poderia voltar pra cama d'Ele e deixar que jorrasse no meu corpo inteiro.

Nessa época, meu remorso por ser veado já quase não existia: fazia dois anos que tínhamos — eu e Ele — uma relação estável. Se algum dia, num instante qualquer, cogitei *a saída do armário*, esse foi o momento, ao desligar o celular e olhar para a janela do prédio onde havia transado há pouco.

Poderia ter essa vida, com esse indivíduo.

O remorso existe até hoje.

O grupo da célula já formara o círculo de cadeiras no fundo da igreja e esperava por mim. Catorze pessoas. Tudo muito simples, muro baixo, cadeiras de plástico, má iluminação — já escurecia.

Abri o sorriso, ergui as mãos, admitindo a culpa e iniciei pelo perdão.

Tome nota, senhor: sempre inicie pelo perdão.

— Desculpem-me... mesmo... perdoem-me... tive contratempos e... bem... são novidades da igreja... boas novidades, espero. Tudo depende da vontade do pai. Mas acho que poderemos mudar de endereço em breve...

Olhei para o terreno vazio ao lado, ao qual o pastor presidente especulava: três vezes maior do que o nosso! Mais conforto para os irmãos! Encarregado de cuidar das negociações, fiz o melhor que pude e depois fui para a casa d'Ele — já relatei o acontecido.

Os irmãos louvaram a deus, engrandeceram seu nome e o de jesus; aleluia, aleluia, glória Jeová! O senhor seja louvado! Derrama teu poder sobre nós, misericórdia, ó misterioso pai, compaixão dos teus aqui na Terra — os agradecimentos se emendaram com a oração inicial e o Espírito moveu aqueles minutos de célula: lágrimas derramadas, pessoas caídas, gritos, adorações, imposições, pedidos. Um povo de fé. E o Espírito adentrou em mim naquele dia. Profetizei e espalhei a glória do senhor, concedendo revelações aos fiéis: o teu filho! O teu filho sairá das drogas, minha irmã. Abra as mãos, abra as mãos, e agora receba, receba o fluido dele, receba o poder do grandioso! Aleluia, irmã! Aleluia! Creia e o senhor fará mil maravilhas a tua família.

Prestes a finalizar o momento, uma mão tocou minha testa e abri os olhos: Jussara, a mais respeitada irmã da igreja.

— Deus te chama para algo, pastor... vejo uma revelação. Uma grande revelação que mudará teu destino e tua história. Uma revelação que transformará teus dias, óóóó Senhor, enche este vaso, Senhor, proteja esta alma, grandioso! Teu sangue aqui, Jesus! Teu sangue! Derrama tua glória, pai... ó, pastor, ó o que vejo: vejo libertação, Senhor! Vejo libertação... vejo teu anjo pegando-te pelos braços, ó Senhor, derrama, pai, derrama! Vejo o anjo te carregando pelos céus... você voa, pastor, está livre... vejo uma algema quebrada em tuas mãos... e você as impõe sobre a cidade, ó, pastor, senhor, derrama!! A revelação vem hoje, prepara-te, homem, porque o Todo-Poderoso não tarda e não falha!!!!

Senhor, rememore meu dia: sexo *gay*, gozada e lambida no cu.

As palavras da irmã me derrubaram, caí em choro e em corpo. Ainda havia deus pra mim... em uma palavra: pleno. O vaso transbordou unção e o Espírito trabalhou em mim. Ao teu lado é o meu lugar, senhor.

Você voa...

Eu voo... das pequenas carinhosas lembranças que tenho de Mamãe, voar sempre foi especial. No dia em que tropecei e ralei o joelho na rua, ela me espiava pela calçada, olhos marejados; chegara da igreja. Usava a camiseta branca escrita "sou de Cristo", carregou-me pelos braços e avisou que o remédio ardia. No fundo, senhor, não ardeu. Não com aquele tratamento de Mamãe... ela olhou em meus olhos e disse que eu jamais tropeçaria, porque era um anjo, e anjos voam.

Quando estava grávida, sonhou com um anjo sobre sua cama: "o que habita em ti, mulher, vem de nós. Tão puro quanto eu, tão filho do Altíssimo como eu". Beijou minha testa e voltou para a cozinha. Ao anoitecer, já era a mesma Mamãe, mas nem ela apagou os cinco minutos de cuidado. Muito mais do que palavras, aquele gesto soou para todo o sempre. Amém.

Na célula, dois irmãos novos entraram. Um casal. Perguntei o que esperavam do nosso grupo.

— Acho que só um lugar pra ouvir e falar, pastor. A gente precisa disso — concluiu a mulher.

— Falar do que, irmã? — perguntei. Ela pareceu não ter resposta. Seu companheiro respondeu.

— Ah, pastor, falar da Palavra... da vida... disseram pra gente que era isso.

— E vocês estão certos, queridos, não se acanhem. Há espaço para todos que buscam abrigo nas asas do Altíssimo. Pergunto apenas para que saibam o que fazemos aqui: breve leitura da Palavra, explanação e comentários, para, no fim, cada um falar um pouquinho sobre sua semana, suas tentações... Foi então que a mulher voltou a chorar — voltou porque seus olhos estavam vermelhos, e o rosto, inchado. Ela gaguejou perdão. — Não se acanhe, irmã, esse é o momento.

Ela pediu para ir ao banheiro. Falaria depois de todos, ao final. Não queria tirar o espaço de ninguém. A leitura foi sobre a morte e a ressurreição de Lázaro, amigo de Jesus, e como o senhor nos resgata até do impossível.

Mal sabia eu que, perto de mim, hoje, Lázaro estava numa boa. Ele tinha o Mestre.

Ao final, voz foi dada à irmã que chorou:

— Nossa filha, pastor... nossa filha de catorze anos tá andando com umas meninas do... do *inimigo*, pastor. Ela chegou com uma tatuagem em casa ontem, e hoje... hoje peguei ela beijando uma menina, pastor.

Desatou a chorar, amparada pelo marido, que passava as mãos pelos ombros da esposa, balbuciando orações, crente que deus livraria sua filha do caminho pecaminoso... de que tudo aquilo teria saída, e eu era capaz de indicar qual percurso levar.

Ninguém queria falar, nem eu. O grupo permaneceu em silêncio, aguardando a minha voz, a posição de pastor exige sempre uma resposta profunda, carinhosa e aos preceitos do senhor, como se o Espírito, a todo verbo dito, virasse carne e salvação... o verbo é só verbo mesmo.

Não foi a primeira vez que precisei tratar do assunto de maneira pública, sem revelar minha própria fraqueza. Já foram relatadas neste livreto, inclusive, algumas ocasiões desses dilemas, mas a conjuntura do momento mexera comigo: lambida no cu, ligação misteriosa, palavras de profecia, o voo. Se, ao sair do prédio d'Ele, cogitei abandonar tudo, aqui, cogitei dar opinião sincera, estapear a cara de todos e voar.

Menina com grandes chances de repressão ao longo de toda infância, forçada à igreja todos os finais de semana, a vestir roupas diferentes e se portar de maneira única, imposta e enjaulada: vida podada. E quando saísse de casa, ganharia seu dinheiro; relações rompidas; dificilmente voltaria a apertar as mãos manchadas de ferro dos pais que tentaram enjaulá-la. Tem muito de mim nessa história. De mim até o momento da rebeldia, o que nunca fiz, por incompetência pessoal.

Pensei na garota antes de responder. O que fosse professado por mim, seria lei para eles e determinaria toda a vida que ela teria. Emiti:

— Clama ao senhor para afastá-la da abominação do homossexualismo, irmãos. A deus pertence o homem e a mulher!! Levíticos e Paulo, irmãos, não caiam na tentação do mundo, de julgar que toda normalidade lá fora é permitida dentro da igreja do Altíssimo. O mundo é do pecado, irmãos. Orem pela filha e façam o possível para afastá-la desse caminho... se preciso, tragam aqui, o senhor Jesus cura todos os doentes, irmãos! Todos! Milagres, irmãos!

Aleluia; glória a deus; poderoso senhor; infalível; aleluuuuia, deus!

Eu queria estar mentindo, saber que não disse o que disse, mas comprometi-me com a verdade nestas memórias, e a verdade é que devo ter arruinado mais uma vida.

Perdão, menina.

Todos fizeram uma oração final, a célula acabou. Antes que qualquer irmão se aproximasse, o pastor presidente chegou e revelou que precisávamos conversar. Assunto de maior urgência. Ele precisava de mim. No caminho para o escritório, o celular tocou.

— Você não veio pra casa ainda... nós precisamos...

— Já vou. O pastor quer falar algo urgente comigo.

— O quê?

— Ainda não sei... ele parecia preocupado, triste. Coisa boa não é.

— Deus te abençoe, mas não demore... nada é mais urgente do que nossa conversa. Acredite em mim.

Não acreditei e segui para o escritório do pastor, onde três outros obreiros da igreja olhavam para o chão, carregados pelo silêncio, o peso do jugo sobre eles: a quem julgaram?

O pastor presidente falou para mim:

— Nós descobrimos algo terrível... terrível, que Deus tenha piedade, algo terrível, que um membro dessa igreja jamais poderia cometer, principalmente sendo um de nós, que sobe ao altar, fala da Palavra e... terrível. Te chamei aqui porque temos um assunto de tamanha urgência, Senhor, que precisamos conversar...

francamente e honestamente... você não mentiria para mim, mentiria?

— Jamais, pastor, jamais! Deus é testemunha da minha honestidade!

— Pena que Deus não possa ser testemunha de outros assuntos... Senhor, o que faremos?

A revelação viria hoje, dissera a irmã, na célula.

O meu fim aconteceria ali, eu achava. Verdade é que não passava do início. Sentia na voz desse homem que minha religião estava a um fio. Vida inteira... ao ralo... e ainda teria a conversa urgente com minha mulher.

— Nós investigamos isso muito a fundo, não falamos nada antes, pois precisávamos de certeza... certeza absoluta para não criar falso testemunho. Oramos muito, jejuamos e pedimos orientação divina para saber o que fazer. A situação é das mais difíceis que já vivi nessa igreja... É ele, meu amigo, teu pupilo... Davi, Davi vem fraudando o financeiro da igreja há meses...

— Não, não é possível, pastor! Eu o acompanho desde que entrou na igreja, eu o guio desde então... não pode ser verdade. Não pode!

— Ele superfaturou o contrato que vocês foram fechar. Costurou um acordo por trás e afirmou que convenceria você a aceitar o preço, falando sobre a especulação imobiliária, que o valor do imóvel estava para voltar a subir e... Deus que o perdoe... que ele criaria uma campanha para os irmãos jejuarem e doarem o máximo possível pra comprar o terreno. Estamos falando de 40 mil reais... 30 para ele, 10 para o corretor. Ele procurou o corretor antes de você, costurou o acordo, e, quando foram juntos, tudo já estava acertado.

— Mas... mas... quem contou isso?

Lembro das mãos suadas, dos olhos que não viam, dos pés que não pisavam.

— Quem me ligou foi o dono da corretora... ele é evangélico também, da Bola de Neve... e eu que não confiava nesses crentes tatuados e moderninhos... estranhou o valor do imóvel, pressionou o vendedor e fez com que revelasse a verdade.

Eles não me desmascararam, desmascararam Ele: o meu chupador, o meu ativo, o meu passivo, o meu depósito de espermas e de paixões. Davi mentiu para todos, inclusive para aquele que lambeu sua bunda mais cedo.

— Vamos primeiro afastá-lo do cargo, procurar o perdão, porque é o certo a fazermos... por mais que eu quisesse... Senhor, não permita... Mas se ele ousar negar, mentir pra mim, eu... eu... que Deus me segure... eu era um homem muito explosivo antes de encontrar o Senhor, mas safadeza acorda o pior de mim... eu dou-lhe uns tapas...

— Posso falar com ele antes?

— Prefiro que não... mas pode vir pela manhã, onde conversaremos todos juntos. Mais uma vez, sinto muito... ele era seu discípulo e eu imagino a dor que esteja sentindo.

O pastor colocou as mãos na minha cabeça e fez uma pequena oração, pedindo proteção e força. Em boa hora, porque tudo tendia a piorar. Eu não iria para a reunião de manhã por dois motivos: eu já saberia do vírus e não teria forças para nada. Iria ao apartamento agora mesmo.

No caminho, outra chamada.

— Você ainda não veio para casa?!?! Já são onze horas da noite! Por que você nunca me leva a sério? E se fosse um dos seus filhos doente?!

— Não brinca com coisa séria! Eles estão bem, não?

— Estão... mas a urgência é a mesma!

— Algo de muito ruim aconteceu, querida, algo que eu jamais imaginaria. Estamos todos desesperados e preciso fazer isso agora. Amanhã é muito longe.

— Querido... hoje já é muito longe...

O elevador, mais apertado do que nunca, sufocava o eu: já não resta nada...

Retirei a chave do bolso, como um pistoleiro no velho e cansado Texas: nós não devíamos ter piedade... os cães tripudiam e um segundo é o tempo entre disparar e ser atingido. Quem atirar primeiro vive; sempre fui lento.

A porta abriu, junto dela um sorriso "vi teu carro estacionar" não viu, entretanto, minha mão bater em sua cara. De novo, de novo e de novo, entre cortes ele questionava a violência, até que segurou meus braços; sempre fui fraco.

— Em nome de Deus, que merda é essa?!

Tentei me soltar de suas mãos, pedi que me largasse, não o atacaria, fechei os olhos e puxei ar, tentando dizer algo: não era o dinheiro que me incomodava, mas a traição. Fugi sem sucesso das lágrimas; sempre fui chorão.

— Acabou tudo, Davi. Pra você, pra mim e pra você. Acabou tudo. Descobriram sua mentira, seu desvio de dinheiro, já sabem quem você é de verdade, não dá pra fugir. Naquela igreja, seu fim chegou. Em mim, você não toca mais — sempre fui radical — no discurso.

Ele sentou no chão, colocou as mãos na cabeça, agarrou os cabelos, seus lábios tremiam.

— Vam... vam... vamos fugir?

Eis o disparo. A bala acertou-me em cheio, no cérebro, eu já sabia que me atingira e não havia volta. A culpa pelo fim seria minha, a covardia por não fugir... e com uma proposta louca, ele virou a vítima, mesmo eu sendo o baleado.

— Vamos fugir! Eu e você. Mais ninguém, mais nada. Sem igreja, sem bíblia, sem mulher, sem filhos. Vamos! Se algo der errado, você volta... diz que foi Deus quem mandou. Quem discordará? Foi pro Oiapoque pregar... Deus mandou.

A proposta era mentirosa... saída pela culatra... ainda assim me pego pensando se tivesse dito sim, se tivesse fugido, morreria sem saber da AIDS, viveria com Ele, sem o peso, sem preocupação. Viveria até que acabasse: que seja eterno enquanto dure.

Tolice.

Nada, fora o Altíssimo, dura para sempre e é eterno. Todavia, virar as costas para ele durou um para sempre e mais alguns segundos...

.

.

.

.

.

e mais alguns segundos.

A caminho de casa, não recordava que ainda haveria algo pior a receber. Dirigi sabendo que o único destino era o inferno... por homossexualidade, por adultério, por falsidade, por mentira, por estragar vidas — a pobre menina... qualquer que fosse o julgo ou o argumento, o resultado único notabilizava-se.

Sem céu para mim. E o objetivo de uma meia-vida, porque nunca fora inteira, inalcançado.

Cheguei em casa.

Ela esperava no sofá, encarando a tv desligada; fosse o que fosse, o que passava em sua mente era mais interessante. Sempre é. A gente só precisa enxergar. Uma bíblia aberta ao lado. Olhou pra mim de olhos úmidos.

Sempre soube que me amava e era grata, mas aquilo parecia algo mais: uma adoração preocupada, um despedir de almas, como se o véu do meu rosto fosse retirado; ela via o quão humano sou.

Ele é o meu aliado fiel, a minha fortaleza, a minha torre de proteção e o meu libertador; é o meu escudo, aquele em quem me refugio. Ele subjuga a mim os povos. A esposa leu a bíblia, sem conter sua emoção. “Você não merecia isso, meu amor... me abrigou na sua casa, cuidou de mim, casou comigo, me deu dois filhos maravilhosos, traz alegria todos os dias, trouxe o Senhor pra minha vida, não, não... não fala nada, deixa eu terminar... eu te amo com todas as forças.”

A verdade daquela mulher arrancava de mim todo mérito: ela não devia nada a mim, eu que devia tudo, mas isso não foi dito. Não naquele momento.

— Lembra que na semana passada te levei pra tirar sangue? Você já estava mal há muito tempo, toda hora, emagreceu, sem força... pedi uma amostra pra isso, pra uma suspeita que eu tinha, mas temia, por Deus, como eu temia, senhor...

— Do que você está falando??

— Não te contei... preferi carregar comigo e só Ele sabe o quão pesada tem sido essa cruz.

Olhei para baixo da bíblia, alguns papéis de exames.

— O que eu tenho? O que aconteceu comigo?

— Ah, meu amor... não só você... nós temos... Nós temos HIV, meu amor... mas... mas... só manifestou em você, meu querido. Só você tem AIDS... misericórdia, meu Deus!!!

— Não é possível! Não! Não! Não!

Embaralhei minha língua, buscando desculpas, explicações para minha traição. Fui pego! Sempre, sempre, sempre lento! Bianca sabia de tudo!

E então ela começou a falar:

— Eu sinto muito!!! Isso só pode ser culpa da minha antiga vida. Só pode, não... é. Vem de lá pra você, um santo... A culpa é toda minha, quando eu era uma... uma... puta! Eu peguei e não sabia... uma puta de satanás... foram tantas noites sem dormir naquela vida, meu amor, você sabe, você sempre soube, você já me perdoou, mas não perdoará por isso, eu sei, eu sei que não. E eu mereço...

Pasmo, perguntei: e nossos filhos?

— Eu já testei eles... não têm nada, milagre... milagre do Senhor. Ele livrou dessa maldição, ele protegeu, meu amor, as crianças estão bem.

Ela explicou que, como não fez nenhum dos pré-natais ideais, vários exames foram ignorados. Anti-HIV foi um deles e, no parto, Jesus encobriu os meninos com o espírito da cura. Ele os tinha salvado.

Mentira.

Eu sabia a verdade. O vírus não estava nela, mas em mim. Eu o transmiti, eu entreguei o presente.

Não tive coragem de contar. O peso da culpa já era grande demais para eu carregar, admitir que sou veado, seria o fim. Que eu trouxe para nossa casa... eu tinha o álibi perfeito, a colocação perfeita, ela sequer cogitou...

As crianças não pegaram porque eu trouxe o vírus depois de elas terem nascido, o número de homens com que deitei... Não havia deus algum nisso, só o diabo: em mim e na minha mentira.

Escolher entre ser um infectado hétero, fiel e vitimado — mas falso —, que lutaria para viver e glorificar o nome de deus, ou um infectado homossexual, adúltero e culpado — mas honesto — que lutaria pelo perdão próprio?

Fui pior que Davi, ladrão de terrenos. Eu, ladrão de vidas: atirei primeiro, atirei em mim mesmo, morto pela própria pistola: um veado pistoleiro.

Notas do último capítulo

Agora que o senhor sabe o que de fato sou, talvez não me perdoe. E, se simpatizava com minha figura, talvez a odeie. Eu odiaria. Nunca fui fã de vilões ou de anti-heróis, mas prestar essa alcunha a mim é denegrir a classe de tão bons personagens. Estou mais pra indigente literário: sem classificação para cair morto — e ai se o senhor pensa que por isso me considero especial.

Normalidade. É tudo o que eu queria: preferir boceta a pinto, verdade à mentira, mansidão do paraíso ao fogo do inferno. O meu templo desmoronou naquele dia; nunca foi reconstruído. Nunca será, também. Sem tempo, sem força.

Ah sim, Davi é um filho da puta, mas nascido no mesmo prostíbulo que eu. Talvez por isso tivemos tanto amor, tanto sexo. Eu daria de novo, com gosto, pra acabar com o desgraçado, deixá-lo extasiado, mostrar quem manda.

E depois eu cortaria seu pescoço: antes, lamberia a cabeça do seu pau, chuparia o saco inteiro, beijaria todo o corpo, esfregaria minha porra na cara dele, melaria todo o pescoço, num preparativo para a faca que viria. Num único golpe, adeus, Davi.

Óbvio que jamais faria isso. Se o senhor acreditou, precisa prestar mais atenção nestas memórias e se lembrar do quão covarde e passivo sou.

Revelada a verdade, continuemos com a história, ainda há muito a contar. Por exemplo, como conheci Davi e como ele foi morar em minha casa, o mundo perfeito dos evangélicos e, principalmente, por que Mamãe nunca veio me visitar.

A primeira pregação ou: quando vi a face de deus na minha face

O terno, ajustado para o altar, apertava e esquentava o meu corpo. Respingos de suor escorriam pela testa, mais e mais; pareciam acompanhar o fervor da igreja, que se derretia aos pés de Cristo. Pensei em tirar o paletó, mas a camisa, ensopada, faria de mim um ridículo.

...Te queremos, para sempre, para sempre, para sempre, Senhor!!! Hoje aqui, hoje aqui, hoje aqui!

Todos cantavam, menos eu, absorto na minha insegurança. No templo da igreja cabiam cerca de 500 pessoas e toda sua arquitetura convergia para o altar, para o centro da noite, para a adoração do Salvador.

A palavra de hoje era minha.

Preparei a vida inteira para o agora, todas as ações feitas convergiam ao presente momento; ao subir das escadas, ao embrulho no estômago, ao suor que escorria pela testa, ao desejo de correr, fugir.

Minha hora chegava. O roteiro da pregação estava definido. O quarto homem da fornalha. Reli o trecho: Daniel 3:19-25.

Ninguém que questione a beleza desta palavra tem minha atenção. O senhor tocou meu coração e ali mesmo senti o peso da tua glória, derramada sobre mim. Dobrei os joelhos e ergui as mãos para o altar, entregue para a obra do Santíssimo, desfeito perante teus pés, no aguardo do sopro do Espírito:

— Vem, senhor! Vem, senhor! Não há outro como tu! Derrama do teu poder, derrama da tua glória, unge meus lábios e professe por eles tuas virtudes, professe a grandiosidade que sou incapaz de lançar, ó, Poderoooooso!

— Toca, Deus! Toca, Deus! — o cantor desceu do altar e impôs as mãos sobre minha cabeça. — É teu precioso, Deus, teu filho guerreiro, teu lutador! Anda contigo desde o nascimento, Deus! Não permita que saia daqui sem tua glória, sem o elixir do santíssimo!

— Toda a igreja estendia as mãos para mim, crendo e clamando no mover dele em meu espírito. E ali transbordei na glória e vi, pela terceira vez, Cristo. Ajoelhado ao meu lado, estendendo a mão perfurada; sorriu pra mim o impossível. De repente, num estalo, pedi que me tirasse da fornalha do pecado, que eu não queimasse no fogo. Agarrei sua mão, mas ele já havia desaparecido, sem dizer nada.

A resposta não veio em palavras: o peito queimou e senti o fogo consumidor em mim. Gritei, tamanha dor, a igreja calou.

Clamei pelo sangue de cristo.

O fogo cessou.

Ele revelava, em gestos, que sempre esteve comigo na fornalha.

Ao escrever este capítulo, sinto o mesmo fogo devorador; mas ele não cessou... não cessou... não cessou...

Apócrifos do homem morto: a paixão escondida do rei de Israel

"Minha alma se ligou com a sua, Davi; e eu o amei, amei-o como a mim próprio. Teu amor é mais precioso que o amor das mulheres, que os desejos de meu pai! Serei leal a ti, Davi, eis a jura que faço, meu amado, serei leal até que meu coração bata, serei leal até que respire nesta terra, serei leal até que me impeças de ser; assim serei."

Davi inclinou-se três vezes sobre o rosto de Jônatas, e em todas elas beijou sua testa, cada beijo mais prolongado do que o outro, como se não pudesse largar aquele ser. Sentou-se ao lado e acariciou o pescoço do companheiro, cuidando para ter certeza de que o agradava. Seus lábios se tocaram, abriram-se, as línguas entrelaçaram-se e entenderam-se por um longo tempo, mais longo do que o comum; não tão longo devido às lágrimas que encharcaram ambos os rostos. Jônatas chorava, mas Davi chorava muito mais.

O músico, vencedor de Golias, prometido a rei, vivia de fuga, sem teto, sem comida ou carinho; a não ser pelos afagos e amores de Jônatas, seu eterno cúmplice. E toda fome que sentia era a fome da presença dele, e toda saudade que sentia era a saudade do corpo dele, e todo o desejo que sentia era o desejo dos braços dele; não ficariam juntos. Jamais. Esse segredo correria os séculos dos séculos, sabido apenas pelos três: o casal e o deus de Israel, que chamou Davi de "o homem segundo o coração de Deus".

O nascimento do meu primogênito

Na recepção do hospital, uma foto do crucificado olhava diretamente pra mim. Quase quis mandá-lo embora, que ficasse no quarto da esposa, e apenas lá, cuidando do meu filho que nasceria. Onipresença é o cacete.

Mamãe segurava minhas mãos, insistindo que o nome seria Emanuel. Eu negava. Bianca escolheu Matheus, por ser um presente divino para ela, que, segundo médicos, engravidaria apenas com um milagre, possivelmente por causa dos abortos precários que realizou.

— Estou grávida, meu amor... nós... nós... vamos ser pais! — A palma das mãos juntas, na altura do nariz, como se orasse em agradecimento. Sem respostas, olhei o ventre dela, conjecturando a criança que ali estava. Inerte, soltei a bíblia no braço do sofá e abracei minha esposa. Seu calor aqueceu meu corpo. Enfim, eu tinha lar: seus braços. Fizemos amor ali, no chão da sala, durante quase duas horas, sem pressa, cadenciando toda paixão que carregávamos. Suas pernas, sempre quentes e receptivas, abriam-se com a lentidão de quem busca aproveitar todos os segundos. Nosso sexo movia-se pela alegria. Eu encarava seus olhos, sempre convidativos, bianca transava sorrindo, diferente de tudo e todos com quem já estive. Só sabem ser raivosos, mas raiva não é sinônimo de selvageria; ela era selvagem enquanto ria, enquanto beijava meus lábios, enquanto alisava meu cabelo. Foi, um dia, prostituta. Já não era mais; os outros buscam esquecer de todos os problemas na cama, bianca simplesmente não os tem. Não fazem parte dela, não enquanto se impõe, se movimenta, vai e volta, sendo puta e sendo dama, na mesa e na cama; os outros fazem sexo, bianca é sexo, incomparável; não foi a minha melhor transa porque o que ela faz ainda não tem nome.

— Tá me ouvindo? — Mamãe clamava atenção, mais nervosa do que eu, prestes a receber o neto *daquela lá...* a quem o único mérito havia sido o de me dar um filho. Bianca sofria nas mãos de minha genitora. Jamais seria o suficiente para mim, segundo sua sogra. Pra Mamãe, bianca era a metade da metade do homem que sou.

Mal sabia que nem homem eu era.

E, por não ser homem, ter um filho soava como a maior vitória de uma vida repleta de glórias irrelevantes, comemoradas apenas pelos outros. Ele era a primeira e melhor coisa que eu verdadeiramente fizera.

Sinto saudades... dele... de seu nascimento. Quando tudo ainda parecia ter chance, quando tudo ainda parecia ter luz, quando deus ainda operava milagres.

Onde está a minha mãe?

Acordei e não quis um homem pra beijar, um deus pra orar ou uma mensagem de fé. Quis o abraço de Mamãe: que chegasse pela porta, portando o sorriso que nunca vi em seu rosto, os elogios sempre engasgados, os olhos ternos e maternos escondidos atrás da carranca evangélica e os ouvidos atentos como jamais estiveram, usando vestido colorido, cabelo solto, por que não, um pouco da maquiagem? Trazendo um presente, ou um pedaço de bolo, talvez um refrigerante e um filme.

Pobre de mim, se viesse, seria de saia jeans, ombros caídos, cabelos longos e presos, quase ensebados, cara de quem não vê água há semanas e cheiro de quem nunca viu, quase que podre, como se estivesse largada pra morrer. Passos lentos porque não há pressa quando se tem a eternidade. Voz estridente, firme, de quem nunca titubeia ou baila, sempre reta e íntegra, não há desvio! Fato para ela é algo inexistente, beira o mito, o risível, tudo é fator de opinião e a sua, sempre, a correta, pois é deus quem vigia: tá na bíblia, tá nos anais!

Mamãe jamais falaria anais, é lógico, preferia chamar de cuzinho. Mas disso o senhor já sabe.

Sua teimosia vinha da proteção divina, resguardava-a todos os instantes, do pegar do ônibus ao caminhar sozinha pela madrugada. Ainda assim causava saudades em mim, repugnante ao seu próprio jeito, dominadora e abusada, pegou-me pra Cristo: sofri, mas sempre estive ao seu lado direito.

Na criancice, o almoço era nossa atividade comunal, um ritual em perfeita sintonia de botar água pra ferver e preparar o feijão, que deixava o rastro do tempero pela casa, avisando ao estômago a melhor hora do dia: a que todos se sentavam juntos e, mesmo que pouco, conversavam. Eu, calado, só ouvia, era feliz em ver a família naquele estado. O bêbado sempre estava nos tópicos: onde está, quando volta, entregou a mercadoria? E por vinte minutos Mamãe apreciava o prazer da própria refeição, quase que contente pelo trabalho que fazia com a minha ajuda. Eu fingia enxergar compaixão em seus olhos impenetráveis. Sei que me amava, mas escondia, tanto quanto eu, minha condição atual. Pouco verbalizava. Um dia, porém, puxou-me ao secar a louça, passou as mãos, que para minha surpresa eram macias e carinhosas, pelos meus cabelos e sussurrou, no ouvido direito: "sabe que você é meu preferido, né? Sempre será". Afastou-me quase que num empurrão e derrubei o copo que secava. Não sei o que chegou antes, o estrondo do vidro ou o grito de Mamãe: de volta ao estado normal.

Sempre estivemos juntos, entre raríssimas carícias e muitos gritos. Até seis meses antes deste hospital, quando abandonou o filho e foi para o mundo virar missionária, avisou-me um dia antes, sem dar o direito de retruque ou questionamento, sem permitir intervenção ou dica. Além de filho, eu era pastor. Mas nunca se importou, a palavra dos outros sempre fora melhor e mais tocante.

— Se tivesse avisado, eu iria junto.

— Não, não... essa missão é minha.

Virou as costas e partiu. Não quis entrar, nem ver os netos: a casa era impura por causa de bianca, dizia ela. A vontade foi de ir atrás, cutucar seu ombro, colar rosto a rosto e gritar. Sem nexo, sem sentido, apenas para extravasar.

Ela viajava o Brasil e a América pregando a palavra do senhor Jesus Cristo. Pregava aos desconhecidos quando seu próprio filho necessitava mais do que todos. Nunca pregou Cristo pra mim, pregou-me ao Cristo, sem chance de escape ou desamarra.

E fugiu; quando mais preciso, ela não está. Onde foi parar, não sei. Sul, norte, nordeste, Uruguai, Paraguai, Argentina... cresce em mim a vontade de encontrá-la, pelo segredo que desejo entregar a seus sempre tapados ouvidos: e que lide com eles, Mamãe.

Jesus está vindo...

Vedes, irmãos, que o senhor aponta no horizonte, dotado de pressa, vem para anunciar o fim dos tempos e resgatar seus escolhidos, aqueles que seguiram seus mandamentos e suas ordens, eis que o senhor aponta no horizonte, irmãos, há dois mil anos, e João o aguardou, e Thiago também, assim como todos os que se sucederam, geração após geração anseiam por ele; e ele vem, e ele vem...

O amante que mostrou o mundo sem religião

Livre de sexo e de rótulos, ele perambulava pela noite, saltitando de bar em bar, numa busca contida, mas necessária.

— Você não costuma beber, costuma? — perguntou, antes de sentar ao meu lado, no banco do balcão do bar. Estava de costas para a atendente, de frente para aquilo que lhe interessava, as pessoas. Segurava uma garrafa de cerveja que servia pra aquecer, segundo ele.

— Pra ser sincero, é a primeira vez que bebo uísque — respondi. Expansivo, soltou uma gargalhada que estremeceu o balcão, aproximou do meu rosto e ordenou que tirasse a cara de triste:

— Primeiro, uísque é pra celebrar, não para chorar.

— Não choro, não. Estou feliz, até. Só queria saber como era...

— Feliz não *tá*, ninguém feliz senta do jeito que você *tá* sentado, pega o copo sem vida e olha pra essa gostosa sem tesão. — Rodopiou o banco, olhou pra atendente e soletrou o "gostosa" sem usar da voz, como quem fala de longe, pra tentarem entender o que a boca diz. — Qual é o teu nome?

— Hum... sem nomes. Eu nem devia estar aqui.

— Você tem cara de Lucas...

Ri, bebi um gole, desceu queimando o que não deveria, falei que esse era o nome do meu irmão.

— Tua mãe errou, então — e como!

— Você devia se chamar Lucas.

Bebi outro gole.

— Minha mãe errou muito... mas não no nome.

Ele rodopiou de novo e deu as costas para a atendente. Um homem passou e seus olhos seguiram a bunda do indivíduo. Voltou-se para mim, que tinha os lábios estirados pelo satã, prestes a fazer o que jamais pensaria:

— Quer transar?

Visita indesejada

— Jesus! Céus, o que tem meu irmão em Cristo?

— Pas... pas... pas... pastor, o senhor não deveria estar aqui! Eu não quero, não quero ninguém da igreja aqui, pastor, por favor, não conte a ninguém, toda minha vida depende disso, não posso, toda minha família, meu ministério, minha igreja, pastor, não me delate, ore por mim, mas não me delate, por favor, não faça isso.

— Ele tem AIDS, pastor presidente — bianca antecipara-se — eu passei para ele... dos meus tempos de mulher da vida.

Pobre esposa...

O pastor precisou sentar, tomou um copo d'água, afrouxou a gravata, não parava de chamar Jesus, buscava compreender a história enquanto eu insistia que a mantivesse em segredo. Disse que precisava ir ao banheiro, não quis usar o meu.

Bianca pedia desculpas. Não sabia como ele descobrira, não havia contado a ninguém e, obviamente, não poderia impedir o superior da igreja de entrar num quarto. Faria o quê? Chamaria os seguranças?

Mentalmente, passei a preparar um discurso, explicações, apertei as mãos de bianca, nós vamos superar isso... se precisar, nós mudamos de igreja, de cidade, não vou te abandonar, meu amor, não te deixarei sofrer mais do que já sofre, fique comigo, venha cá, venceremos juntos!

Quando o pastor reapareceu, tinha o rosto e o cabelo úmidos.

— Como você pôde? Esconder isso de nós?! Deveria ao menos ter me contado... seu desejo é o segredo; segredo terá, meu amigo, mas deveria ter me trazido, eu o ajudaria a passar pela situação, eu o aconselharia, oraríamos juntos, entregaríamos sua condição ao

Todo-Poderoso e clamaríamos a ele, jejuaríamos por meses, meu querido, não pode carregar essa cruz sozinho!

— Não carrego sozinho, pastor, bianca é minha rocha.

— Sua fidelidade e perseverança é um símbolo, meu irmão! Passará por essa, o Deus de Israel está contigo! Testemunhará em nossa igreja a cura da doença incurável, guarde todos os seus exames, guarde todas as suas consultas, ao fim desse ciclo, ao fim dessa fuga do Egito, ao fim das pestes, iremos adorar e louvar o Senhor por mais um milagre!

Senhor, lembro que chorei em teus braços naquele dia, lembro que afagou meus cabelos, enxugou minhas lágrimas, invocou o espírito e expulsou os demônios. Lembro que se mostrou um verdadeiro cristão e aquebrantou meu coração; lembro que serviu a mim com amor, com paixão, lembro que me surpreendeu de todas as maneiras; lembro que, enquanto puder, por ti dobrarei todos os dias meus joelhos, quando fui fraco, o senhor me fez forte e é você, senhor, possivelmente, o primeiro leitor destas memórias. O que peço a ti, meu querido pastor presidente, é que seja o mesmo cristão que se mostrou naquele dia, por mais difícil que seja a situação agora, por mais contraditório que meu pedido possa parecer, por mais dor e náusea que esse livro possa lhe causar. Peço que seja o cristão que sempre foi, que me perdoe e que ampare minha família; eles não têm culpa.

Um sinal de Mamãe?

Escrevi apenas dois capítulos nos últimos dias, a introdução do meu caso com Erik, o *gay* festeiro e a visita do pastor. Tento desvencilhar o pensamento de Mamãe, mas a velha persegue os sonhos e as reflexões; para onde ia, tudo voltava para ela.

Preciso dizer cara a cara, segurar aquelas mãos secas e falar da minha condição: "Sou e sempre fui veado, mãe".

Pedi que a encontrassem, que bianca ligasse para a igreja e providenciasse o retorno de minha mãe. Eu, acamado, com lençóis azul-marinho sobre mim, um rosto que já não reconheço, de tão magro, acabado, perdido entre o meio do que não sou e a metade do que nunca serei; suspiraria até o último segundo, o derradeiro milésimo, o estalar de um desabamento, e na proporção das palavras verbalizadas, fim de família. Não seria como imaginei a vida inteira, um romper de tradições, um recortar de amarras, um despedir dos pecados, mas sim uma entrega perdedora, de quem, cansado por negar, pede socorro pra morrer.

Bianca daria informações amanhã. Iria até a organização responsável por missionários e traria respostas.

Perguntas, porém, importavam mais: o que direi, como direi, por que direi? Antes, ainda, vinha a forma que ela me veria internado, num hospital, entregue à bênção de sortes por estar afastado da igreja. Ao chegar, não mudaria a expressão, acredito. Manteria-se firme, numa exatidão clínica, perguntaria o que estou a fazer aqui. Não perguntaria a mim, mas a bianca. Qualquer dizer que saísse do seu filho não merecia confiança. Com as mãos na cintura, num respirar profundo e calmo, de cores alegres, mas rosto soturno, responderia ser AIDS o mal da minha internação. E se encarregaria da culpa, suportando toda força de ódio e avareza que a velha pudesse lhe transmitir. Porque deixei que acreditasse ser a responsável pelo meu estado.

— Antes o vírus tivesse se manifestado em mim... — bianca dizia todos os dias que me visitava.

— Deixa disso, meu amor. Se esse foi o preço pra te conhecer, saiu barato demais.

Mais tarde, conjecturei sobre as inúmeras e diretas ou abstratas maneiras de revelar a pior das minhas condições à Mamãe: desde "jogo no outro time" a "mãe, sou *gay*". Fato é, senhor, que qualquer escolha possível resultaria no mesmo, a milimétrica expressão de descontentamento, salientada pelo lábio inferior comprimido e olhos brancos, sem paixão, eternos. A partir daí, já não quis supor. Preferi esperar que localizassem Mamãe, para a surpresa acontecer.

O que seria quando eu revelasse o inevitável? Eu revelarei o inevitável? Nem eu sei, senhor. Nem eu sei.

Já tentei converter gays e acabei transando com eles

Em uma parada *gay*, a matriz da nossa igreja montou uma barraca "faça sua maquiagem". Contratamos maquiadores, compramos os melhores produtos. Enquanto a bicha se maquiava, um pastor se aproximava e, aos poucos, pregava para ela. Alguns choravam, entregues a Cristo. Outros soltavam a franga, davam beijos e agradeciam a maquiagem grátis.

Eu, ..., pregando para veados.

Atendi mais de trinta pessoas naquele dia. Falava com elas. A palavra é uma espada de dois gumes, corta para os dois lados.

Nunca quis ser *gay*. Tanto neguei que cheguei a duvidar da existência de deus.

— Por que não me cura?! — perguntou uma bicha louca sendo maquiada.

— Falta fé — respondi.

E talvez faltasse mesmo. Se a fé move montanhas, por que não move pintos pra longe de mim?

— E por que Deus não me dá fé para ser curado? — o veado continuou falando sobre o quanto ele já havia orado. Seis anos na igreja, coração entregue. E nada.

— Talvez você não tenha se entregado de corpo e alma, não jejuou o suficiente. — Ele se ofendeu. Todo *gay* se ofende quanto questionam sua sinceridade.

— Nosso tempo não é o tempo de deus — tentei retornar ao assunto.

— Então ele não pode me condenar, a bicha respondeu.

— Seu homossexualismo é sua tentação. Abraão precisou quase sacrificar seu filho para se mostrar digno de deus, até que o anjo o salvou.

Ele, já sabendo que eu havia perdido o fio da conversa, levantou da cadeira, agradeceu ao maquiador e sussurrou ao meu ouvido: "Se um anjo aparecesse pra mim, a única coisa que eu ia querer saber é o que ele tem no meio das pernas, pastor".

E saiu gargalhando.

Naquele mesmo dia, um dos veados me ligou, dizendo que estava no fundo poço e precisava de ajuda. Fui até o endereço indicado e subi ao apartamento.

— Você fez meu *gaydar* apitar, pastor.

Caminhando em minha direção, ele tirou a roupa. Sua barriga torneada ficou à mostra, seus olhos não desgrudavam dos meus. Ele tinha plena ciência do que eu visualizava. Tirou a cueca e pude ver seu pau, ainda mole, querendo endurecer.

Naquele dia, desci ao inferno, mas não me queimei — com exceção de uma parte muito específica.

Casamento gay na Idade Média?

Senhor, séculos empurram séculos, mas nada novo debaixo do sol; *gays* casadinhos na Idade das Trevas, *gays* abençoados por cristãos primitivos. Bebo isso das mãos de John Boswell... Anos de pesquisas históricas e historicamente se apagarão como eu. Seria uma ausência toda rosa?

Quando meu irmão me visitou e tive a conversa mais franca destas memórias

Lucas é o mais inteligente dos quatro filhos de Mamãe. Lembrando que um deles já morreu e a outra vivia pra cima do Brasil, bem de vida, mais por sorte do que por mérito. Eu, como podem ver, não dei muito certo: pastor — dos pobres –, veado, aidético e mentiroso. Até o falecido está melhor do que eu.

O caçula, não, Mamãe esgotou-se comigo e o deixou livre. Casou-se sem pompa e sua mulher, não tão bonita como bianca, mas simpática, tinha o respeito da genitora e isso, senhor, já era maior do que todo o imaginário popular poderia supor. Por nome de Angélica, a moça até comparada a anjo foi. Bianca, cabisbaixa, engoliu o choro e não disse nada, porque, se abrisse a boca, os lábios sorridentes de Mamãe sumiriam tão rápido quanto o tesão de um macho que ganha *cheque* do colega.

Lucas era... não se sabe o que era direito, trabalhava para uma empresa de renome nacional e subia em carreira, não devia nada a deus, porque não foi pregado a ele como eu. Se alguma vez depois de crescido visitou a igreja, o casamento seria minha primeira resposta. E só. Ninguém puxava seu pé, nem eu, nem Mamãe. Livre pra escolher, chegou a me confidenciar gostar do budismo. Repreendi em nome de Jesus, pra depois sorrir e confessar que também simpatizava com o gordo. Lucas era meu cúmplice de poucos encontros.

Depois que se mudou para o centro, trocamos poucas palavras e ainda menos momentos, mas aqueles que trocamos valeram por toda uma vida em comunhão. E talvez apenas por isso ele me surge agora nesta memória, de maneira quase aleatória, sem apresentação prévia... porque Lucas inexiste para mim, até que eu aperte sua mão e pesque na memória o homem que é. Dali ao fim da conversa, sou inteiro dele.

Ao chegar a meu quarto, tocou meus ombros e, quando partiu, prestei-me a iniciar este capítulo, tamanha urgência para que não perdesse o toque das mãos do caçula, fugitivo para uma vida melhor. Tanto não se pode condenar sua fuga que nem Mamãe palpita ou resmunga. E, quando de Lucas fala, sorriso discreto, daqueles que só os olhos emitem.

O orgulho, não só dela, meu também. O quanto eu dava errado, Lucas dava certo.

— Que merda você faz aqui, meu irmão? — Os traços do seu rosto lembravam muito os do bêbado afogado, assim como o jeito de falar, curto e despretensioso. Talvez por isso Mamãe sorrisse tanto para Lucas, lembrava-se do caminhoneiro.

— Glória do senhor Jesus — ironizei.

— Não faça isso... Não seja assim. O que você tem deve a Ele, ou não?

Devo. Acho que devo. Provavelmente.

— Sim... estou brincando. Como vai o serviço?

— Vai bem — ele respondeu. Ganhava dez mil reais ao mês, trabalhando vinte horas por semana. Perguntei se esse era o motivo do terno novo.

— Você não viu o carro, nem o apartamento. Angélica tá pulando de alegria. Tem tudo naquele lugar. — Perguntei se tinha um filho a caminho, ele virou o rosto e olhou de canto, escolhendo as palavras: como essa cara parecia a do bebum! Odiei tanto o velho morto por ter me criado de tal maneira que desejava ser filho do meu irmão. — Ela não pode ter filhos... os médicos disseram que é infértil, não adianta.

— Cristo! Mamãe vai odiar saber disso.

Ele focou em meu rosto, contraiu a testa. Balançou a cabeça.

— Vê como ela *tá* enraizada em você? A primeira coisa que pensa é na opinião dela, no que ela vai achar... foda-se... Angélica me preocupa primeiro. Sempre quisemos ter filhos. Por isso comprei um carro novo, um apartamento melhor... pra apagar dela essa verdade. Nunca teremos filhos de sangue. E isso é pior do que a tristeza de mamãe.

O caçula jogava em minha cara a dependência que carrego da genitora. Descobri o silêncio em minha boca; sem nada para dizer, permaneci assim, compreendendo o que acabara de ser atirado. Havia resquício de revolta em seu tom, como se descarregasse grande frustração naquelas palavras. Era Lucas, e tudo de ruim em Lucas vinha aos poucos, imperceptível na maioria das vezes, envolto de pouco dito, mas muito significado.

Ele me ajudou a sair da maca e sentei-me na poltrona ao seu lado. O quarto, pequeno, tinha apenas um sofá para visitas que fossem passar a noite e o móvel em que eu me sentava. De notável, apenas o crucificado que já mencionei na abertura. Toquei as mãos do irmão e perguntei o que aquilo significava.

— Bobeira minha...

— Não é bobeira e sabemos disso. Diga, Lucas.

— Qual foi a última vez que falou com a mãe?

— Um dia antes de ela partir pra ser missionária.

— Ela virou missionária? Pra onde foi?

— Sim — e respondi que não sabia, mas que a localizariam para mim.

— Viu? Nem disso eu sabia... nem uma ligação, nem um interesse pelo que faço ou pelo que fiz. Eu posso estar traficando e ninguém saberia. E isso não é só pra ela. Qual foi a última vez que você me ligou? Que visitou minha casa ou perguntou do meu trabalho, da Angélica? Quando fala da mãe, fala com poder de quem a conhece... eu não sei quem é essa mulher. Não sei por que anda tão carrancuda, sem dar notícias, como se prestasse um favor aos filhos, como se ter nos trazido ao mundo já fosse o fim.

Tirou um cigarro do bolso e, pelos tremores das mãos, demorou a acender. Tragou uma, duas, três vezes, examinava a fumaça que expelia pela boca. Ofereceu, por força do hábito.

— Não sabia que fumava.

— Não sabia que tinha AIDS.

Tragou o cigarro mais algumas vezes, respirava como um sedentário, puxando todo o ar ao redor, nos intervalos das tragadas. Estava tudo a ruir, Lucas também planejava destruir o pouco que restava de nós.

— Sabe o que incomoda? Você reclama dela o tempo todo, mas nunca largou do rabo de saia. Ia pra onde queria e não queria. Por quê? — Ele deitou, encostou a cabeça no braço do sofá e continuou fumando. — Não precisa responder... eu só não entendo. Ela é possessiva; o discurso de igreja sempre reinou em casa, mas você seguiu porque quis. Dos três vivos, é o único evangélico. Ela se preocupava até certo ponto, até o ponto de estar satisfeita com sua consciência evangélica... feito o dever, mais nada. Nunca viveu por nenhum de nós, só pelo salvador da humanidade...

— Você está chateado, meu irmão... por Angélica não poder ter.

— Porra! É lógico que eu estou chateado! Isso é óbvio! Eu nunca vou poder ter um filho! Nunca! Não meu... não do jeito que eu queria, não do meu sangue... não terei os nove meses de espera, não terei que sair à noite pra comprar qualquer merda que ela queira, não farei abstinência de sexo por meu filho. Nada disso pra mim. O que eu tenho é uma mulher infértil, um irmão aidético, uma mãe que nunca foi mãe, um pai morto e alcoólatra e uma irmã que, melhor do que eu, foi pra longe enquanto podia. Você não lembra... você não tem ideia do que era entrar naquela casa, não sabia porque você fazia parte daquele ritual desgraçado, daquele cheiro de religião podre, fanática. Você era parte daquilo. A primeira vez que assisti um desenho foi na tevê de um amigo, com mais de doze anos. E sabe o que é pior? Não tinha nenhum santo horrível, nenhuma imagem malfeita, nada pra culpar. Nada. Era tudo etéreo, espiritual. Aquela casa vazia, sem vida, toda branca, num silêncio moribundo, esperando o arrebatamento... o fim do mundo. Enlouquecia minha cabeça, como se só eu pudesse perceber... não vou mentir... eu queria Jesus, você lembra? Eu desenhava Jesus em todo canto, eu sonhava em pegar na mão dele...

— Você não sonhava, Lu, você pegava!

De repente, ele saltou do sofá e sentou.

— Pare! Pare com essa... essa aceitação... essa, porra, apenas pare! Eu pegava na mão dele e sabe o que acontecia depois? Sua mãe aparecia e o afastava de mim e o conquistava com toda aquela devoção e adoração. Como eu podia competir com isso? Jesus não olhava pra trás, nem de relance. A primeira vez que tive chance de sair daquela casa, saí e nunca mais pedi nada, nem dinheiro, nem colo, nem carinho. Fiquei na casa da tia Marisa por três meses, e ela me tratava melhor do que a mãe. Eu não conheço ela, nem você! Não sei quem são.

— Lucas... você sabe o meu segredo. Só você sabe. O único. — Acendeu outro cigarro, pedi que não o fizesse, o cheiro forte incomodava, porém não mais do que ver meu irmão dono de uma expressão triste e ressentida, contendo o choro do caçula esquecido. O cigarro era um disfarce.

— E daí? E fora isso, o que mais eu sei? O que mais vivi com você?

— Me diz você, Lucas... o que vivemos? O que você lembra de mim?

— Pouca coisa. Lembro só daquele dia, com clareza. Nunca brincamos muito, você sempre sério, recatado, na aba dela, indo e voltando. Quase não nos víamos. — Pedi para ele contar o que se lembrava do dia. — Você sabe... vi aquilo e descobri que você era *gay*.

— Não, Lucas. Em detalhes... conta tudo. Eu quero ouvir de você, conta como se escrevesse um livro pra nunca ser lido. Eu preciso disso. Por mim.

Ele levantou, não era um assunto que o deixava confortável. Por mais liberto que fosse, ainda possuía raízes do nosso lar. Revelou ter vergonha, não de mim, mas da história, de si próprio. Apagou e jogou fora o cigarro, bebeu um copo de água.

— Era meu aniversário de quinze anos. Você tinha dezenove. Lembro de estar triste por não ter uma festa. Aliás... há muito tempo eu não tinha uma festa. E como ninguém lembrava do aniversário de ninguém, a não ser que tivesse convite, nunca lembravam do meu na escola. *Parabéns,* em turma, nunca ouvi com meu nome. Mas mamãe costumava fazer bolinho de chuva e preparar o bolo de maracujá que sempre gostei. Naquele ano, ela estava em um retiro e não apareceu. Ligou, falou com você, lembra? Eu estava na escola... Quando ela voltou de viagem, nem bolo, nem maracujá, nem chuva. Só a secura de sempre. Cheguei em casa pronto pra me trancafiar no quarto, torcendo ou pra ninguém recordar do meu aniversário e evitar ver o fiasco que era essa data pra mim, sem presente, sem festa, sem parabéns. Ou pra que você tivesse preparado uma festa surpresa, já que ela não estava em casa. Como nada acontecia e o universo respondera com a primeira opção, fui até seu quarto, ver se... Deus... que criança boba... ver se tinha ao menos me comprado algum presente. haha... não tinha... mas tinha ganhado uma... uma revista, bem escondida entre a cama e o estrado, dentro dela um recado "pra melhor boca do mundo"... caralho... como isso é difícil de falar.

Ele voltou a deitar no sofá. Recostei-me na poltrona, quase escorrendo para o chão.

— E eu, que tinha ido ali só pra te dar oi... haha... que seja... nem lembro quem ou qual era a revista, mas fiquei ali, sentado no chão, olhando o recado, tentando entender o que aquilo significava. Não parecia possível que você fosse *gay*... nunca passou pela minha cabeça. Eu sei que mamãe te falava coisas, mas eu... eu jamais... achei que fosse engano, que fosse erro. Qualquer coisa pra mim ali serviria, um simples "guardei porque um amigo pediu pra mãe dele não ver", mas, quando você abriu a porta e viu, a reação foi de apagar qualquer dúvida, né? Haha, o seu grito, o jeito que me empurrou e fez eu bater a cabeça no chão, a correria quando recolheu e rasgou a revista, tentando rasgar o que eu vi... um desespero de fim do mundo. Eu não sabia quem você era, por ser *gay* e tão calado, mas, naquele momento tão voraz, assustado. Imagino o que aquela tarde te custou... o quanto carregou aquilo contigo por dias e dias, até pouco antes de mamãe voltar. Tenho muito bem recordado o seu rosto, desfeito, a tremedeira da sua boca, a garganta que engolia a seco palavras que nunca sairiam dali. Rasgou em pedaços a revista e depois demorou alguns minutos pra recolher, mantendo a expressão quase que indiferente pra mim. Mas eu sabia que a indiferença era aparente... tudo aquilo era por mim, pelo que eu causei a você, por não ter desviado, segundo nenhum, os olhos dos seus, mas entenda... eu buscava resposta, a menor que fosse.

E de novo ele não tirava os olhos dos meus, mas eu não fugia. Tanta coisa pra temer agora, maiores do que o julgamento do caçula, que não parecia julgar, mas tentar se explicar. Consenti com a cabeça, estimulando a história.

— E... quando você saiu daquela porta, sem dizer nada, eu já tinha algo muito claro em mente. Eu contaria a ela, à mãe. Assim que pisasse porta adentro, contaria tudo o que vi, o que aconteceu. Pensei que, se eu falasse pra ela, poderia ser o novo... preferido. Mas, tudo mudou quando você entrou no quarto, na noite antes de ela chegar, e pediu que guardasse comigo o segredo:

— Te suplico, Lucas... não conte pra Mamãe... eu... estou tentando, tentando superar isso. Tentando largar esse pecado, essa maldição... eu nem converso mais com esse menino... você sabe o quão entregue estou pra Jesus, não faça isso, por favor. Nasci assim, não queria... mas não há nada que possa fazer. Digo, há sim, tenho feito... o que pode ser feito, tenho feito... a igreja é minha vida, Mamãe é minha vida... não tire isso de mim, meu irmão...

— Você disse que planejava uma conversa completamente diferente, séria, explicativa, mas que quando começou a falar, não se segurou e a única coisa que fez foi suplicar. Suplicar, suplicar, suplicar. Não tinha alternativa... eu me manteria calado. Sempre me mantive. Você sabe. Sempre fui leal a você! Mas... não agora. Não mais. E aviso com um corte no coração. Ou você conta a verdade para ela ou eu conto.

Desprevenido, ajeitei-me no sofá, maldita hora de dar uma de herói. Examinei toda a expressão de Lucas e o que ele pretendia transmitir. Procurei sinais de blefe. Nenhum. Ele estava disposto a contar, a queimar a última carta que tinha com Mamãe.

— ... por quê?

Passou a mão na testa, apertou a mandíbula e respondeu que eu precisava viver.

— Mas, Lucas, eu *tô* aqui pra morrer, meu irmão! Não dá mais tempo!

Viver não é só questão de tempo, ele respondeu, mas de intensidade.

Beijou minha testa e deixou no ar que voltaria pra me ver... não voltaria, aquele beijo era meio de despedida, meio de traição.

Como conheci Davi

Ele entrou na igreja pela porta da frente. Até que se aproximasse do caixão, ninguém o notou.

— Diz que é mentira, pastor! Diz que é mentira! Não, não, não, ela não pode estar aí. Ela estava ontem me ligando, não, pastor, não pode não pode mãe, mãe do céu, não faz isso, mulher, levanta e volta volta mãe não não não por quê meu deus? Não não não, levasse eu, mas não ela ela não não merecia!!!! Alguém alguém por favor alguém ajuda ela não minha mãezinha mãezinha não vai.... não mãezinha pastor não deixa ela ir pastor não deixa traz ela pra mim mãezinha mãezinha... não chora por mim... não se preocupa comigo... não fica acordada por mim, mãezinha... mãezinha volta... eu vou ser bom, juro que vou vou trabalhar, vou estudar, vou fazer o que você quiser mãezinha, mas volta pra mim...

Seu desespero continuou minutos a fio, até que a igreja estivesse vazia. Nunca tais paredes foram tão frias com seus fiéis, nunca tão repugnantes e sombrias, envoltas de amargura e tristeza. Ele não tirava os olhos dela, dos pés à cabeça. Sua mão percorreu os braços, o ombro, o rosto, orando, rezando, clamando, que ela ressuscitasse, "como o homem da pedra", sequer sabia o nome de Lázaro, mas a entrega dele tinha tanta verdade, tanto desespero, que passei a orar ao seu lado. Dois loucos movidos pelo fim de uma história, de mãos em riste, suplicando ao Senhor que soprasse o espírito naquela mulher.

— Lê alguma coisa, pastor, lê, pastor.

Veio sobre mim a mão do SENHOR, e ele me fez sair no Espírito do SENHOR, e me pôs no meio de um vale que estava cheio de ossos. E me fez passar em volta deles; e eis que eram mui numerosos sobre a face do vale, e eis que estavam sequíssimos. E me disse: Filho do homem, porventura viverão estes ossos? E eu disse: Senhor DEUS, tu o sabes. Então me disse: Profetiza sobre estes ossos, e dize-lhes: Ossos secos, ouvi a palavra do Senhor. Assim diz o Senhor DEUS a estes ossos: Eis que farei entrar em vós o espírito, e vivereis. E porei nervos sobre vós e farei crescer carne sobre vós, e sobre vós estenderei pele, e porei em vós o espírito, e vivereis, e sabereis que eu sou o Senhor. Então profetizei como se me deu ordem. E houve um ruído, enquanto eu profetizava; e eis que se fez um rebuliço, e os ossos se achegaram, cada osso ao seu osso. E olhei, e eis que vieram nervos sobre eles, e cresceu a carne, e estendeu-se a pele sobre eles por cima; mas não havia neles espírito. E ele me disse: Profetiza ao espírito, profetiza, ó filho do homem, e dize ao espírito: Assim diz o Senhor DEUS: Vem dos quatro ventos, ó espírito, e assopra sobre estes mortos, para que vivam. E profetizei como ele me deu ordem; então o espírito entrou neles, e viveram, e se puseram em pé, um exército grande em extremo. (Ezequiel 37:1-10)

Horas e horas e o tempo mentia, um minuto; passava uma hora, e as pessoas voltavam, e ele não largava o caixão, não soltava as mãos da mãe, não cessavam as declarações, os pedidos, olhos inchados de choro e cansaço, tudo pelo amor, desamparado, em queda livre, agarrava-se aos braços da falecida... pela primeira vez na vida ela não poderia salvá-lo. Nem na vida, nem na morte. Triste final para o filho da puta que não valorizara ser filho da mãe que tinha e tentava, em vão, trazê-la de volta.

Ao tampar o caixão, pequeno, marrom, simples, ele esperneou e proibiu que qualquer um tocasse seu objeto sacro, assassino de sua mãe que morreu de infarto, confessava "eu a matei, eu a enterro!".

E a lacrou e a carregou até o carro, sozinho, numa cena ridícula e penosa; difícil de ver aquela criatura, quase sem forças, arrastando e arranhando o caixão de sua mãe, o som da madeira no piso entrecortava os gritos de força de seu carregador. Tentaram se aproximar, ele enxotou todos, menos eu, que recebi o convite macabro para apenas colocá-la dentro do carro, pois a altura do veículo era superior à de seu peito. Assim que pronta, ele beijou minha bochecha e entrou no carro, direto para o cemitério.

Ao final da noite apareceu em minha casa, tão morto quanto a falecida, dobrou os joelhos perante mim e pediu para entregar a vida ao senhor Jesus, dono de todo a glória. Precisava mudar, aceitar Cristo de coração e alma, entregar os pecados e carregar sua própria cruz. Queria um espaço na igreja, para limpar chão, que fosse, devotaria a vida ao evangelho, aprenderia as leis bíblicas a fim de ensiná-las aos fiéis, decoraria versículos-chave para ceder conselhos sábios, passaria fome para sentir um pouco do que Cristo sentiu no deserto, aprenderia a falar para se comunicar com o povo, aprenderia a contar para administrar a contabilidade da igreja, aprenderia a orar para emocionar os receptores e manteria o espírito reto para a glória do senhor, dono de todos os poderes!

Jamais ouvi palavras tão sinceras. A verdade estava incrustada no corpo de Davi, e ele seria o tal homem, o tal pregador, contador, orador; seria o exemplo de evangélico, caso, naquela noite ainda, eu não o tivesse convidado para ficar em minha casa. Prestativo, ganhou o coração de bianca e o meu, ficando por lá durante três meses, até que nossa relação estivesse tão à mostra que, por pouco, não havia sido descoberta.

O amante que mostrou o mundo sem religião e uma família compreensiva

— Você vem amanhã? Gostei do teu cheiro... do teu jeito — ele perguntou, sentado na cadeira de seu quarto, pelado, o corpo talhado por tanto cuidado estético.

— Que horas?

— Não vou sair amanhã... vou trabalhar em casa e te esperar. Dez minutos antes de chegar, dá um toque no meu celular. Você tem *whats*?

— Tenho o quê? — ele riu da minha ignorância e mandou deixar pra lá.

— Trabalha com o quê? Blog? *Site*? — perguntei.

Ele levantou da cadeira, vestiu a cueca e colocou uma música no celular. Virou e empinou a bunda para mim, plantou os pés no chão e aos poucos levava o quadril de um lado para o outro: num ritual de tesão imprescindível. A mão agarrou e abaixou a cueca, sem que revelasse nada e, ao mesmo momento, tudo o que eu queria. Abriu as pernas, sempre salientando a bunda, que rodou, rodou, rodou e só parou quando ele simulou o ir e vir do sexo, cada vez mais rápido. Virou-se para mim, passou o indicador na boca e o lambeu, sem parar de dançar. Mexia a cintura e os ombros para baixo e para cima, tocando seu sexo, que se avolumava na cueca, tanto quanto o meu. Abaixou a única roupa que usava e pude ver sua lisa virilha, sem pelo algum. Levantei para ir a sua direção, ele mandou parar, mandou deitar, mandou abrir as pernas. Subiu na cama, de frente para meu pau. A dança continuava, mais lenta, quase cerimoniosa. Mexia-se de um lado para o outro enquanto colocava os joelhos quase na ponta da cama, e inclinava-se até meu membro. Sua boca beijou-o através da cueca, que não demorei para remover. E seus lábios, quentes, percorreram todo o perímetro do meu pau, deixou que sua baba caísse sob a cabeça e chupou, como se ainda dançasse, na conclusão de um ritual iniciado em pé. De joelhos, ele finalizava o resultado de sua sedução. Sabia a hora exata de engolir e a de permanecer perto dos lábios, num beijo prolongado. Pela primeira vez não me importava com o passado de alguém. Na verdade, quanto mais paus tivesse chupado, quantos mais cus tivesse arrebentado, mais o meu tesão crescia, mais o gozo se aproximava. E de pensar em quantos membros já entraram em sua boca, explodi, dentro de sua garganta, mandando minha porra direto para sua goela. Não reclamou; persistiu no boquete, e o prazer crescia, de pau sensível, sentia todos seus toques labiais. Agarrei seus cabelos, sem saber se pedia pra parar ou pra continuar pra todo o sempre: tanto prazer não parecia humano, soava errado estar ao alcance dos deuses, num orgasmo proibido, escondido, onde só o divino poderia alcançar. Lá estava eu, gritando, gemendo, gozando; nunca estive tão ao lado direito de Jeová.

!!!!

— Então você faz *strip*? — perguntei, depois de vestir as roupas.

— Sim, faço isso na internet. Pagam para me ver tirar a roupa via *webcam*. E pagam bem.

Duvidei do que ele dizia.

— Como assim? Por que não pagam um gigolô, então?

Ele respondeu:

— Gigolôs são mais caros, você precisa receber em casa, ou sair e ainda mostrar a cara. A maioria dos meus clientes são *gays* que nunca saíram do armário, que têm medo de mostrar o rosto pra família, pra sociedade e tudo... aquela coisa que a gente já conhece. — Ele sorriu, mas percebeu a feição que eu carregava. Esse serviço é o tipo de coisa pela qual eu pagaria. — E você? Você faz o quê?

— Prefiro não dizer. Invejo sua liberdade... sua alegria... mas nem todos somos assim. Prefiro não dizer...

— Não precisa dizer, nem teu trabalho e nem teu nome, conquanto que volte amanhã.

— Voltarei — e voltei.

No dia seguinte, liguei para o celular dele quando já estava embaixo do prédio havia trinta minutos. Indeciso, não sabia se entrava ou não; considerava indigno o que eu faria não só pela veadagem, mas pelo prazer, inconcebível para mim.

Largas e compridas colunas beges separavam as grades do prédio. O ar clássico e refinado logo na cara do passante, uma cabine de porteiro moderna, ampla, no centro de dois portões, um para pedestres e um para carros; jardim colorido, frondosas árvores e alegres flores espalhadas por todo o percurso até a entrada, enorme, imponente, vitoriana — sei lá o que isso significa, mas soa chique. Aos meus olhos passaria de portão para o paraíso. Talvez não tanto pela beleza física do lugar, que me soa bastante idealizada agora que releio o que escrevi, mas pelo caráter libertador que encontrei naquele lugar, livre de julgamentos e preceitos e olhos tortos.

— Olá, eu sou um pastor *gay*.

— Seja bem-vindo, senhor.

O diferente era tratado como normal. Quem sabe o normal fosse o diferente: não porque o mundo quer dar fim aos bons costumes, senhor, mas porque os bons costumes são o fim do mundo.

Mas naquela época eu ainda não havia entendido isso.

Bati na porta do apartamento e uma senhora atendeu. Errei o andar? A porta?

— Perdão, senhora... confundi as...

— Ora, você não é o menino que o Erik está esperando? Entre, entre! — O sorriso daquela senhora conflitava com tudo o que havia em minha educação: senti o segredo ruir, ainda tinha esperança de ela achar que vim apenas por trabalho, amizade, video game... Besteira! Ela sabia o que eu fora fazer. Seu comportamento libertino a denunciava... mas... mas... não havia julgamento.

— Mãe? — Erik perguntou, aparecendo na sala, decorada por quadros e livros. — Ah, já conheceu o sr.-sem-nome que tanto te falei — beijou os lábios da mulher e disse que a pizza seria paga por ele, que perdera a aposta. — Achei que você não vinha. Mãe disse que sim, e acertou, como sempre.

Ainda calado, fora da minha realidade, um balão que sobrevoa o espaço; nada a dizer, queria explicações, mas preferia que não fossem dadas. Eles continuaram a trocar comentários, as palavras, em si, não importavam. Exalavam confidências, dispostas a destruir, sem alarde, um mundo de preconceitos. No sussurro, como quem não fala de amor, pratica-o; num ato de puro instinto, tanto quanto as profecias e imposições de mão que eu fazia. De repente, abracei a mulher e beijei seus cabelos brancos, desfeitos e bagunçados! E ela, de uma surpresa não surpresa, retribuiu e beijou meu ombro, pescoço, tudo o que estava ao alcance de seus lábios.

— Que mulher é você?

— Eu sou eu, ora, uma velha cheia de amor pra dar.

Não perguntaram por que eu a abracei, não olharam, controversos, ou questionaram minha pieguice repentina; riram, apenas, de modo que ri, também, o nariz coçando, com uma emoção pouco vista e sentida em vida, não motivada pelo deus maior, mas pelo humano menor, em barreiras, ordens e tabus.

A mãe havia preparado risoto de camarão e, mesmo sem fome, eu jamais negaria o convite. À mesa, enquanto aguardava eles servirem, pude reparar na beleza da casa, nunca pesada, sempre leve, de cor branda e móveis acolhedores. Os quadros eram os objetos mais chamativos, coloridos de uma tonalidade calma, pacífica, sem jamais agredir os olhos do apreciador. Os pratos, quadrados, contrariavam minha lógica de comer em recipientes redondos e mostravam que ali até um pouco de "quadradismo" era bem-vindo. Sentia-me em casa. Ao experimentar o risoto tive a sensação que tivera no dia anterior, no quarto, e mais cedo, lá embaixo: não era pra mim. Indigno de tanto prazer. Não só a comida divinizava o paladar; o ambiente prestava serviço a tudo, aos risos, aos alimentos, ao prazer.

— E você faz o que, sem-nome?

— Mãe, mãe, eu te avisei que ele não quer.

— Eu me chamo Eliseu.

— Belo nome, Eliseu... e o que você faz?

— Eu sou pastor evangélico, senhora.

Os dois pararam de mastigar. Pela primeira vez suas feições mudaram, ninguém disse nada por alguns segundos. Marina pegou o guardanapo, passou pela boca e disse:

— Então pode fazer uma oração antes de terminarmos a comida. Um agradecimento por este maravilhoso risoto.

— Escapou dessa numa boa, mãe! — Erik segurou as minhas mãos, disse que não havia problema, ninguém me julgaria, e que minha cabeça devia ser uma "bela" bagunça. — Imagino quantas coisas enfrenta dia a dia, o peso que carrega... você é casado?

— Não. Minha esposa faleceu há dois anos.

Ambos lamentaram e perguntaram como era ser pastor, quais as dificuldades do trabalho, as recompensas. Nunca tocaram na dualidade em que eu vivia, no confronto pessoal e na dúvida. Ao final, Marina pediu a oração e agradeci ao senhor por aquele jantar e por ter "conhecido esses dois anjos".

No final da noite, Erik me levou para uma festa *gay*. Mas essa história terá um capítulo próprio, à frente. Cansado, paro hoje por aqui e quero relembrar, apenas em memória, esses curtos, mas intensos dias.

Sepulcros caiados por Jesus, que pediu um espaço nestas memórias

"Ai de vós, escribas e fariseus, hipócritas! Pois que sois semelhantes aos sepulcros caiados, que por fora parecem formosos, mas interiormente estão cheios de ossos de mortos e de toda imundícia. Assim, também vós exteriormente pareceis justos aos homens, mas interiormente estais cheios de hipocrisia e de iniquidade." (Mt 23:27-28)

A primeira vez que dei a bunda

De pratos servidos, ele começou a mastigar, parecia não ver comidas há dias. Eu conseguiria dar pela primeira vez para um cara que foi com tanta ansiedade pra esse macarrão seboso?

— Não como nada assim há tempos — Ele disse.

O restaurante era meia-boca, esquina de bairro pobre, mal iluminado e fedido, com a pança da garçonete à mostra, que levava e trazia pratos em uma mão mais suja que sua cara não lavada; e provavelmente que o pau dele, o gigolô banido da igreja.

Cocei a cabeça e pensei em levantar, ele percebeu o movimento e largou o talher.

— Não vá, por favor — falei que tinha um compromisso — não minta, por favor. Veio até aqui... não tem nada que te espera, tua mãe deve achar que você tá num retiro, né não?

Pedi um copo de água, veio direto da torneira, sem gelo, e quando tomei percebi que precisaria de outro copo de água pra fazer o anterior descer. Levemente amarronzado, só vestígio da sujeira do local.

— Não foi assim que imaginei — eu disse, sem conseguir olhar para ele.

— Deus tem o melhor pra você, irmão... — ele gargalhou. Bateu tão forte na mesa que a pançuda mandou parar. Tinha molho bolonhesa na bochecha e desprezo nos olhos. Eu iria até o fim. Se era pra consumar o pecado, que fosse do modo mais lascivo possível, entregue ao mundo e o mundo, entregue a mim: *Sabemos que somos de Deus e que o mundo inteiro jaz no Maligno.*

— Vamos pra casa, eu tomo um banho, relaxamos e fazemos o

que você veio fazer — consenti, sem tanta certeza. — Regina, empacota a sobra que vou levar.

— Quando você foi expulso da igreja... como se sentiu? — perguntei, quando entrávamos em sua quitinete, após percorrer o caminho do restaurante até ali em silêncio.

— Perdido.

— Se encontrou?

— Aqui? Nunca... eu não tenho lar neste mundo. Já que falou nisso, que foi que o filho duma puta disse quando me chutou de lá? — Balancei a cabeça, sem compreender a pergunta. — O filho da puta, o pastor, qual foi a desculpa?

— Ele... ele... não, não acredito que você... você não tentou nada com ele? Ele te expulsou porque...

— Porque peguei ele fodendo minha mãe. — Ele serviu uma pinga sem rótulo e engoliu, sem nem olhar para o copo. — Fodendo não, peguei ele com o pinto na boca dela. A vadia me mandou sair e só apareceu quase uma hora depois, o cuzão olhou pra minha cara, deu um oi sem ressentimento e apertou minhas mãos, Deus te abençoe, irmão, filho da puta... Ele mal saiu e ela já foi mandando eu recolher as coisas, que iria morar com meu pai... mas nunca conheci meu pai. Ela não se importou, que eu o procurasse, tinha todo o tempo do mundo e duas pernas compridas. Não acreditei no que ela disse e fui dormir... pensei em umas hipóteses ou planos, sabia que não ficaria ali por muito tempo. Três, quatro dias, no máximo. Errei feio. Antes de pregar os olhos a janela piscou em vermelho, bateram na porta e perguntaram pelo meliante. Me arrancaram pelado da cama, algemado, nu, descoberto de roupa e vergonha, do mesmo jeito que vou ficar pra você daqui uns minutos... passei por ela e vi que seu olho estava inchado, e o braço, cortado. Eu gritava que era mentira e, preocupado, perguntava o que fizeram com ela, quem fizera aquilo? Eu mataria, ah se fosse o maldito pastor... e quando entendi, ah, quando entendi, vi que o mundo não era pra mim, e tem gente que nasce com o cu virado pra lua, eu nasci com ela enfiada no rabo. — Tá vendo, ele tá drogado... nem lembra o que fez comigo — ela disse pros polícia. Me trocou por um cafajeste, falso, enganador, e ela só mandava calar a boca: quieto! Você não sabe o que diz... se recupera, meu filho... se recupera e volta pra mamãe. Não demorei pra ser liberado, ela só queria me tirar de casa. No mesmo dia entrei e roubei tudo de pequeno e de valor, peguei minhas roupas, queimei o colchão do quarto dela e saí, pra nunca mais voltar. Nem sei onde a vadia mora, nem quero saber. Um dia veio me procurar... precisava de dinheiro. Estapeei o olho que ela mesmo se batera pra me culpar. Estapeei porque não tive coragem de socar, ainda restava em mim um pouco de filho. Bem pouco, é verdade.

Serviu e engoliu um gole de pinga, colocou um pra mim e recomendou que, como eu tomaria no cu, melhor tomar na boca antes. Foi se lavar pra tirar o cheiro acre.

A quitinete não tinha mais de vinte metros quadrados, misturando cozinha com quarto, que fazia as vezes de sala. Um único vão separava o banheiro, vão porque a porta, aparentemente muito tempo atrás, foi arrancada e ninguém se preocupou em colocar outra no lugar. Os gastos azulejos azuis das paredes, num tom quase amarelo, junto com o chão vermelho, sufocavam o ambiente em angústia. Era como ter uma casa para o pecado; sempre ali, eterno, o oposto do divino. Não poderia, contra toda a onipresença, existir deus ali.

E onde nem deus tem coragem de pisar, eu daria pela primeira vez.

Talvez fosse melhor assim, sem divindade pra vigiar.

O banho foi rápido; não dava pra gastar água. Ele apareceu só de toalha, muito mais feio do que quando nos conhecemos. Líquido algum limparia a sujeira de sua cara, grudada para todo o sempre, impossível de se livrar. Uma única coisa poderia trazê-lo de volta à vida: a glória do senhor, mas ela não parecia chegar até ali.

— Eu não vou te cobrar. Sonho com seu rabo desde quando negou ele na igreja. Virgem, apertadinho, inexplorado, só pra mim, pra eu foder tudo o que você tem.

Sua sedução não funcionava como deveria; eu tinha dó daquele ser, pena do que se tornara, de sua toalha frouxa, de sua barriga fina, mas inchada, de seus braços esqueléticos, de seus dentes amarelos, de seus olhos tristes, de seu pinto duro.

Sentou na cama e pediu que eu fizesse o mesmo, em dúvida, relutei: seria assim? Sentei e ele beijou meu pescoço; meio de surpresa, meio de susto, afastei, mas senti meu pau começando a querer ficar duro, mesmo odiando a situação. Virei o rosto pro dele e com as mãos apertei seu queixo, passando os dedos pela bochecha e pelos lábios. Se era pra fazer, faria com tudo e de uma vez, puxei-lhe e abri a boca, engolindo a sua, encontrando sua língua num beijo desesperado, urgente; agarrei seu pau, mas tudo não passava de um ato premeditado; eu não me sentia confortável, nem excitado, queria só me livrar do estigma de virgem.

Derrubei-o na cama, segurando seu membro fino, lambi, beijei, fui e voltei com as mãos por toda a extensão de seu pênis, deixava-o duro, pronto pra entrar em mim, mas achava tudo falso, forçado. O cheiro, a expressão de prazer, o nariz retorcido, os olhos fechados, a boca aberta mostrando os dentes amarelados batendo uns nos outros.

O macarrão não saía da minha cabeça, entrando pela boca dele, sendo mastigado e chupado, limpou os beiços com a mão, pediu licença e continuou comendo, devorando o espaguete. Quando parecia não caber mais, ele deu um jeito, juntou os talheres, separou a comida do prato, passou um pouco de tempero, abriu um espaço e, guloso, mandou pra dentro.

Quis pedir pra ir embora, mas seria falta de educação partir enquanto ele ainda comia.

Apócrifos do homem morto: a mãe do traidor

O anjo bateu à porta; era madrugada — uma notícia daquelas não se dava com o sol à mostra. Poderia ter entrado, aparecido no quarto e feito a mulher acordar, mas quis fingir uma aparição comum, um ser humano: menor fosse o choque; melhor, que a dor viesse em doses homeopáticas. A mulher abriu a porta e foi caindo, andando para trás, buscando apoio em cadeira, mesa, parede:

— A última vez que você apareceu foi pra noticiar o messias, é o que dizem.

— Quem diz? — perguntou, dotado de autoridade, incomodado pelos comentários que circulavam; o mestre deveria aparecer quando o mestre devesse aparecer.

— Pessoas... vilarejos... todos já falaram no menino, que sumiu. A conversa viaja longe nessas terras... — Tendo aceitado o visitante, sentou-se, resignada, passava uma mão na outra, de cabeça baixa, mas encarando nos olhos aquele que batera em sua porta: — O que quer de mim?

— Não quero nada; Ele quer, Ele me mandou noticiar.

A mulher levantou, com as mãos na cabeça, rondando de um lado para o outro, insatisfeita com o que ouvia, tentava ludibriar a si mesma; um sonho, sonho, sonho, não estou vendo.

O mensageiro segurou seus ombros, dotado de uma força controlada, firme, irredutível; ali ela já sabia não haver escapatória.

— Há morte para mim, eu sei... se o messias foi noticiado, não resta nada de bom a vir pra esse mundo, depois dele só há o fim... O que Ele quer de mim?

— Teu filho, mulher. — Direto, o entregador de mensagens não aprendera sutileza; extra de sua natureza, não lhe cabia o cuidado e os retoques humanos que tomam daqui e dali, a fim de matar com cuidado; a ele cabia o disparo único, doloroso e fatal!

— Teu filho trairá o messias e toda a humanidade o odiará; de tempos em tempos revisitarão as memórias dele e alguns ficarão a seu favor, mais em questionamento ao messias do que em honra de seu sangue; condenado ao ódio, tornar-se-á símbolo da traição; seu nome será levado ao fim dos tempos como o maior traidor que já pisou em terras, ele e sua linhagem serão amaldiçoados até que não exista pedra sobre pedra, água a ser navegada e astro rei a iluminar tuas cabeças; teu filho será o catalisador da tragédia do Cristo; teu filho nascerá morto, mas vagará pelas areias desta terra, moribundo, aguardando seu tempo. E tu, mulher, não poderá abrir os lábios, guardará o segredo até que o segredo se revele e o teu filho morra.

O anjo beijou a boca da mãe, como ordenara seu remetente, e saiu pela porta.

Informações sobre Mamãe

Em silêncio, bianca aparecera no quarto do hospital. Notei sua presença apenas quando tocou minhas mãos, acariciou meus braços e só vi que chorava quando uma lágrima caiu em meu pulso.

— O que aconteceu? Meu bem... não chore mais por mim, já falei que não é sua culpa, nem um pouco, meu bem, é provação do Senhor, vou superar, você sabe que vou. — Ela comprimiu o canto dos lábios e cerrou os olhos, inclinando a cabeça para frente até encostar em meu peito.

— "Nhhhmeriçu"

— O quê? Não entendi... o que você disse?

Ela levantou e esfregou o braço nos olhos, balançou as mãos, tentando afastar o nervosismo, e arrumou a postura.

— Você não merece, meu amor... é um santo... não merece o que vem te acontecendo...

— Nós já...

— Não falo de você aqui... no hospital... sua mãe... sua mãe é o problema.

A menção de Mamãe disparou o coração e palpitou as mãos. Antes que eu perguntasse, ela voltou a falar.

— Não acharam a sua mãe, a única coisa que sabem dela é que passou pelo Peru, e lá... ficou muito, muito doente, tendo que ser internada. Passou quase duas semanas e não sabem direito o motivo, um médico dizia uma coisa, ela dizia outra, que o médico dos médicos a curou e que iria embora, tinha trabalho a ser feito... o pessoal da igreja de lá tentou segurá-la, o hospital disse que ela tinha que ficar, mas você conhece sua mãe... saiu de madrugada, sem dar tchau pra ninguém, ainda debilitada. O pastor acredita que... que ela pode estar mal em algum lugar...

24 anos da morte do bêbado afogado

Despachado para o inferno, o bêbado. Dia após dia que corre neste hospital, traço e compreendo o caminho que me arrastou até aqui e, pouco a pouco, tateio meu passado e descubro a ausência do afogado, crucial pra minha tristeza, covardia, dependência. Cruzava as BR's, emendando puta em cima de puta enquanto Mamãe remendava os cruzados que a vida me dava por crescer ali, sozinho, na ânsia de encontrar um pai numa figura decadente; e eu via o pai nele apenas por necessidade. Ao final, fiz do senhor meu pai, mas parece que não fui feito seu filho, senhor.

Despachado para o inferno, também serei e encontrarei o afogado. Depois de viver em fuga, acusando e julgando o bêbado, passarei a eternidade ao seu lado, tendo que encontrar sua cara debochada e olhos semiabertos. Diferente, apenas, será nosso velório. No meu, cantarão hinos e louvarão ao senhor, entregarão minha alma aos anjos para que me levem ao lado do pai, tolos... tolos... tolos... o caixão será confortável e a igreja estará linda, repleta de pessoas, de fiéis, agradecendo a minha existência, lendo e relendo salmos, lembrando meus sermões e minhas preces, à maneira que os pastoreei e fui pastoreado: ovelha. Ovelha acinzentada.

Pra eles, branca, mal sabem...

Provavelmente farão um culto pela minha mulher e filhos, abrigarão-os na igreja e darão suporte até que estejam mais estáveis. Pobre mulher... sem pastor, sem marido, sem grana, com dois filhos e uma casa pra cuidar....

Pobre Mamãe... sem marido, sem grana, quatro filhos [dois mortos] e casa a cuidar.

Quando eu morrer, bianca vai falar pras crianças que me encontrarão no céu. Menos mal. Quando elas chegarem lá, não se lembrarão de mim, pois a alegria é eterna e ninguém que tenha o pai no inferno pode ser genuinamente alegre. Assim, se esquecerão de mim, do que fiz, de por que não estou lá com eles. Não ser lembrado pelos meus filhos dói; dói menos, porém, do que vê-los no inferno. Por sorte, ainda serei amado enquanto forem vivos, diferentemente do bêbado.

A crença de que genuinamente estarei num lugar melhor acalma.

Diferentemente de um assassino que morre baleado, ninguém pode acreditar que ele vai para o céu. Deus tem esses mistérios, mas espero que esse não seja um deles; acabaria com o que chamamos de justiça. Ou não, quem sou...

No fim, vejo a tragédia vindo sobre mim, o mundo despencando, o término da vida próximo, ali, logo ali, acenando, esperando eu chegar, e o pior: não vejo teu amparo, senhor. Sempre acreditei que seria carregado pelas tuas mãos... bobeira, mentirinha, brincadeira de criança. Serei desfeito como o mundo, tal como o bêbado: afogado em pecados!

O mórbido do velório dele foi o oposto da aceitação do que será o meu: ninguém tinha dúvidas que ele fora para o inferno, entregue ao capeta, queimando pela eternidade: adúltero, irresponsável, bêbado, infiel ao senhor... não havia escapatória: por mais que Mamãe buscasse, o maldito tinha uma única passagem.

E lá estava, seu corpo estirado num dos caixões mais feios que vi, fino, mal-acabado, com riscos laterais. Colocaram um pano abaixo das dobraduras do joelho pra diminuir a extensão das pernas, a fim que coubesse ali, naquele objeto barato de madeira: ou isso ou o dobro do preço.

— Esse mesmo — eu disse, tomando a frente de Mamãe, que não teria coragem de fazer tal escolha.

Até que o corpo chegasse, Mamãe preparava comida e a casa para os parentes que ela acreditava vir.

Ninguém veio.

— Que dor, meu filhinho... que dor... que sofrimento. Senhor Jesus, rei dos reis, cuida de mim... afaga meu coração... já falei como conheci seu pai? Um retiro da igreja que reuniu todos os jovens... todos... muito lindo, o pregador era um rapaz abençoado, seu pai... seu pai, não, filhinho, ah... mas ele tinha uma promessa de Deus!!!!!! Deus tinha planos pra ele!! Sempre teve!! Planos grandiosos... longos... divinos... seu pai era cuidador do lugar do retiro... tinha uns vinte e tantos anos, mais velho do que eu, seis anos mais velho. Eu tinha dezoito, lembro bem... orávamos ao Senhor, invocando as glórias, em meio à natureza, às árvores, era um lugar muito grande, verde, espaçoso, e todo mundo orava... só meninas, clamando o sangue de Jesus para encontrarmos um varão digno de nós, do Senhor... e ele apareceu segurando uma espingarda, as meninas gritaram, correram antes de qualquer palavra do pobre homem... fiquei... com medo, verdade, mas o espírito de Deus falava comigo naquele momento, tive medo de morrer, sei lá... boba eu... ele nunca faria mal a ninguém, mas um homem sem camiseta, com uma arma, a gente assusta. Jesus, meu coração disparou e perguntei o que ele queria ali, mais grosseira do que eu imaginava... ele colocou a espingarda pra trás, assim, inclinada no ombro, apontando pra trás, fez um barulho esquisito com a boca, lembra?? Ele fazia sempre isso... não é assovio, é um *fiii*... E disse que procurava um macaco que roubou a comida dele... e aí ele disse que não queria mais saber de macaco, tinha achado uma coisa bem melhor... eu. Veio até mim; eu andava pra trás e ele vinha, vinha e eu ia, e tropecei, mas ele me segurou e deu um beijo na minha boca. Soltei, mas ele ria com meu desespero... ninguém nunca me beijara... não era pra ser assim!!! Tinha que ser especial!!! Só hoje, Jesus... só hoje eu sei que foi muito especial... muito mesmo! Senhor!!!!!!!!!! Por que levou ele, senhor????? — e desatou a chorar, a gritar, a clamar, a orar, a louvar, tudo na minha frente;

se desfazia e era recomposta por Deus e se desfazia de novo e de novo, até que um dos dois cansasse...

Ela continua desfeita até hoje.

Nessa época Mamãe fora tão carinhosa que por mim o bêbado podia morrer todos os dias.

Assim que o caixão foi colocado em seu buraco, disseram que eu poderia jogar um punhado de terra. Comecei a enterrar meu pai: todos os dias jogava-lhe uma mãozada, e um pedaço de si sumia das minhas memórias, não sei se construí um ser tão ruim ou se apenas o desmascarei, se foi encoberto que ele se revelou, ou se foi encoberto que eu o usei para a causa de todos meus males.

"E, quando estiverem orando, se tiverem alguma coisa contra alguém, perdoem-no, para que também o Pai celestial perdoe os seus pecados. Mas, se vocês não perdoarem, também o seu Pai que está nos céus não perdoará os seus pecados." (Marcos 11:25-26)

Foi tudo o que restou, as poucas lembranças e o julgo pesado, contagioso: o que posso fazer é cuidar de mim... já quis o perdão, dar-lhe outra chance, sentar em seu colo, passar as mãos pela sua barba, sorrir sem motivo e chamar pra jogar bola — mesmo não sabendo sequer correr direito — tomar a cerveja que detesto e arrotar em frente ao programa de domingo, "só merda nesta tevê!". Procurei o perdão porque o Senhor manda procurar, investiguei em todos os cantos e quase o encontrei: quando chego perto, sinto a paz se aproximar... e aí recordo de seu corpo no lago, pelado, exposto para todos os olhos.

Nem em meus sonhos o bêbado pede perdão. Chega na mesa de jantar, como se nada tivesse acontecido, eu já estou velho, Mamãe também, ele se mantém na idade que morreu, como se tivesse sido congelado naquelas águas e agora retornasse: senta à mesa, pede a cerveja e acende um cigarro. — Voltou a fumar? — pergunto; — Nunca parei — responde. Mamãe, atônita, mesmo em sonho, agradece ao Senhor em sussurros, pra não incomodar o ex-afogado: — No almoço eu quero paz!!! Sem falação em voz alta!! — Até em sonho ele sabe que sumiu, sabe que deveria se desculpar. O cigarro está aceso pra apagar o nervosismo; tem ciência que nos deve perdão, desculpas, explicações, todo o trajeto de começar com algo esfarrapado, ouvir gritos e então revelar a verdade: o que fazia no lago? Por que bêbado? Por que pelado? — Passa o bife — e persistia em fingir, em não ter coragem, em esconder o que aguardávamos. Covarde que sou, não pergunto, e ele, que fala de futebol, — Como estava o coringão??? — respondo — Não tão bem... fez feio este ano, mas tem crédito... campeão mundial. — O bêbado carrega uma tensão, mas mantém a pose de macho: por ser chefe da família que abandonara, não deve explicar nada que o deixe desconfortável. Como se tivesse duas vidas, uma dentro de casa e uma fora, nenhuma interfere na outra: somos eu, Mamãe e os irmãos, um apêndice. Mal sabe ele que somos seu córtex cerebral, a única coisa que, pela memória, o mantém vivo. Ninguém recorda do bêbado, intragável para muitos, indiferente para o resto, pouco amado, pouco celebrado, buscando seu espaço no mundo quando deveria buscar espaço em casa. Falsário. No sonho, começo a estar consciente de que acordaria: não o verei mais; essa é a hora de perguntar! Verbalizo todas as dúvidas que tenho em mente, Mamãe de boca aberta pede pra parar, e ele come o último pedaço do bife. Quando termino de falar, ele levanta da cadeira e sai pela porta dos fundos, sem sequer olhar pra trás.

Ninguém se aproximava muito do caixão, com exceção das irmãs curiosas, movidas ao sussurro das fofocas, que não só olhavam, como esfregavam a mão na cara do morto: Tomés, tocar para crer.

E Jesus disse a Tomé: "Coloque o seu dedo aqui; veja as minhas mãos. Estenda a mão e coloque-a no meu lado. Pare de duvidar e creia". Disse-lhe Tomé: "Senhor meu e Deus meu!". Então Jesus lhe disse: "Porque me viu, você creu? Felizes os que não viram e creram". Jesus realizou na presença dos seus discípulos muitos outros sinais milagrosos, que não estão registrados neste livro. Mas estes foram escritos para que vocês creiam que Jesus é o Cristo, o Filho de Deus, e, crendo, tenham vida em seu nome.

Meu pai realizou muitos outros sinais demoníacos não registrados nestas memórias, mas estes foram escritos para que vocês creiam que ele é um bêbado, o pai deste *gay* que escreve, e tenham nojo de seu nome.

Criei um mundo para evangélicos

∅

Mamãe precisa estar bem

A cada hora que passa, palavra que escrevo, piscada que dou, oro como último pedido que o Senhor guarde minha mãe, só pelo tempo de eu ver seu rosto e revelar a verdade que sou.

Terceira parte

O amante que me mostrou o mundo sem religião e me levou a uma festa gay

Erik me levou a uma festa *gay* privada, o senhor já sabe. Algo que eu devia ver antes de morrer. No carro, pediu que deixasse tudo de lado, só por hoje, e fosse apenas uma bicha louca.

O portão da mansão abriu, e um segurança pediu identificação. Deixaram-nos entrar e na garagem havia carros dos mais caros possíveis, importados, de todas as cores. A música não se expandia muito fora da propriedade, mas atingia a entrada, assim como os gritos.

Uma briga de cores. Uma briga, não. Uma brincadeira. Azul, amarelo, rosa, verde, vermelho, branco: todas se moviam pela extensão da casa, a qual eu não pude visualizar muito bem, graças à escuridão e ao jogo de luzes: parecia chique, clássico e muito, muito rico.

Dançando. Homens e corpos: uns contra os outros; embalados por uma música frenética, incalável. No fundo, não invejava os sexos, nem as danças ou provocações; invejava a liberdade que tinham: dos pés à cabeça! Nada interromperia seus ritos e sacanagens.

Beijei o chão e lambi as paredes, toquei todos os móveis daquela casa, do sofá à cama, do banheiro à mesa, dos pufes à penteadeira, do bar ao barman. Pulei por todos os cômodos, glorificando todas as almas, agradecendo todas as glórias! Do pai do filho do ex do tio; do santo, amém!

O mundo dos evangélicos

Este capítulo se dedica a preparar o mundo perfeito dos evangélicos aqui na Terra, que lutam para a fortificação da família e domínio de todas as esferas políticas e religiosas. Afinal, há só um deus e todos devem segui-lo! Abro mão de abordar as inserções bíblicas óbvias como os dez mandamentos ou os trechos de Paulo e João, até porque todos os cristãos já os conhecem, de suas leituras incessantes da Bíblia. Usarei como contexto a modernidade, para destruir o que não nos apetece e fortalecer a glória de Jesus Cristo. Amém.

Assumo a posição de criar o perfeito mundo para meus irmãos, após anos e anos na igreja, compreendendo o que passa em seus corações e o que desejam suas almas!

Logo, o planeta perfeito existirá apenas quando todos os seres partilharem o dízimo; e o dízimo, senhor, não é doação à igreja, mas a devolução de dez por cento daquilo que o Senhor permitiu que tenhamos. Aquele que não dizimar deverá, impreterivelmente, ter seus bens caçados e entregues à igreja do Senhor, para o sustento da boa obra. Em apenas uma condição o dízimo poderá ser negado; quando o fiel entregar mais do que a pequena porcentagem exigida pelo Senhor. E esse terá chuva de bênçãos e lugar no céu.

A Rede Globo de televisão deverá ser fechada e exterminada, levando todas suas atrizes com tendências à prostituição e seus atores com tendências homossexuais a um centro de reabilitação, de preferência, a serem tratados sob contrato de uma emissora evangélica, para que ela cuide de suas almas e espíritos enquanto transmite boas-novas aos filhos de deus. Tudo o que se refere a essa emissora, que de bom fez apenas apoiar a ditadura e políticos de bem, será queimado e negado; toda sua memória deverá ser apagada para que nenhum ser humano seja contaminado por sua podridão.

Fim terão também as músicas do mundo, destinadas a objetivos sexuais, materiais e carnais. Em nada essas práticas "culturais" valorizam a glória do Senhor ou louvam a benevolência do espírito, trabalhando apenas em prol da obra de Satanás, disseminando o pecado e o apego ao corpo, privilegiando o desejo humano de se relacionar e sentir emoções antibíblicas. A música do mundo terá seu fim e existirá apenas o louvor, eternamente. Gonzaguinha será convertido, assim como Chico e Caetano e Valescas e Catras. A vestimenta do músico deve ser uma túnica branca, desvalorizando as curvas femininas, e um microfone de orelha, para que as mãos fiquem rentes ao corpo ou direcionadas aos céus, em louvor.

Não se estudará a cultura negra, principalmente as religiões africanas, ou a asiática, como também não se valorizará a ciência, cabresto do bom homem de deus, que o direciona para o abismo das inutilidades. Nada além da santa palavra e suas escrituras deve ser estudado; serão direcionadas ao louvor, à formulação de orações e a compreensão e interpretação da bíblia de acordo com o já interpretado pelo pastor admitido da igreja, que fará a leitura do já interpretado pelo concílio evangélico. Pequenas divergências são permitidas, com a exceção do questionamento da autoridade de deus, da santa trindade, da proibição do louvor aos santos & imagens e assuntos a serem discutidos posteriormente. Fique registrado que o amor de Cristo nos uniu e nos manterá unidos. Logo, nenhum estudo fora dele é permitido: a punição pode variar de prisão a apedrejamento em casos extremos.

Festas, casas de shows e baladas serão puníveis com fortes multas e aprisionamento; nenhuma outra música que não o louvor será permitida, não há razão de ser para essas casas. Todo lugar de louvor é uma igreja, não faz sentido, portanto, tais lugares existirem. Quem dele for proprietário ou nele estiver será julgado com a mesma veemência; tais lugares não propiciam nada de agradável aos olhos do Senhor.

A presença nos cultos de fins de semana e nas quartas-feiras é obrigatória, visto que o Senhor deve ser louvado; não há motivo para a não frequência. Quanto mais dias o fiel for à igreja, menos impostos lhe serão imputados; porque o Senhor retribui aquele que lhe agrada.

A internet existirá apenas para a disseminação e o conhecimento da palavra do Senhor; a fim de comunicar fiéis de todo o mundo que desejam testemunhar em favor de Cristo. Não existirão redes sociais, apenas o *fébook,* ou outro nome a ser escolhido pela comissão virtual.

Todo filho receberá uma bíblia, a ser lida desde a gestação da mãe.

Homossexualismo será banido e coibido com sessões de cura e/ou internação, podendo, em última escala, ser decretada a prisão perpétua do indivíduo; o mesmo se aplica a comunistas, transexuais, feministas e defensores. A luta para o fim da família vinda dessa classe já é notória desde o surgimento de seus primeiros pregadores, tendo um desses grupos a triste alcunha de "comedores de criancinhas" e outro, "destruidores de lares".

As verdades não encerram por aqui, o decreto deixa em aberto novas decisões a serem tomadas em futuros concílios.

Eu, Jesus, atesto e aprovo o mundo perfeito dos evangélicos, pela glória do Senhor, aqu'Ele que reina por todos nós.

Chuca

Nunca tinha cagado no pau de ninguém. Grosseiro, o cheiro ruim surgiu como quem nada queria, pelas beiradas, literalmente, escapando ao membro do rapaz, que não parou por educação até eu perguntar

— Que porra é essa?

Aliviado, ele cessou e avisou-me:

— Vá ao banheiro... — disse, gentil, pobre rapaz! Senti a merda pingando nos meus calcanhares e apressei o passo, soquei a parede e fiquei minutos até entender de fato o que acontecera. Só embaixo do chuveiro percebi o tamanho da merda.

— É a primeira vez que faço isso... primeira vez que faço sexo anal... eu, eu, eu não sei onde enfiar a cara. — Menti, já havia dado a bunda, mas nunca tinha passado *cheque* em ninguém. Nem sabia que isso era possível, ignorante e estúpido, novato neste mundo! Ele consentiu, constrangido tanto quanto eu e ao vivo ensinou-me o que fazer. Usou-se como experimento e ao final, quando quis chupar seu pau para lhe pagar, negou, fora de clima.

No outro dia, decidi que transaria apenas pra fazer a chuca. Logo de manhã, forcei tanto pra cagar que trinta centímetros de rola entrariam no meu cu fácil fácil. Deveria educar minha ida matinal ao banheiro, controlar tudo o que solto. A parte grotesca vem depois, entrei no banho e tirei a ponta do chuveirinho; o jogo de tira/põe nunca fora tão intenso, tive mais medo em colocar água na minha bunda do que qualquer outra coisa. Não parecia natural. Nada morno e líquido no meu rabo soava atraente. O estômago começou a embrulhar, corri pro vaso, encharcando e sujando todo o banheiro. Foi. Meu cu sendo rasgado por um rio de merda, uma torneira que não tinha fim — e o cheiro, filho da puta do cheiro! Segurei a boca pra não vomitar; a que situação o ser humano chega pra dar o rabo com dignidade.

Eu mijava pelo cu.

Enfiei o chuveiro, de novo e de novo, até que soubesse não haver mais nada ali. Fui violentado por mim mesmo, puta que o pariu, estuprado pelo chuveiro de água morna. Catei na memória o tesão de dar o cu para poder sair de cabeça erguida: "valerá a pena!", pensei.

Naquele dia não transei com ninguém. Minha mãe passou mal e precisei cuidar da velha o dia inteiro.

Como Davi foi morar na minha casa — em detalhes

— Não tenho chão... — dizia Davi, que aparecera na minha casa de madrugada. Após ser enxotado do cemitério, vagou pela cidade e resolveu parar lá. Eu poderia dizer que o diabo havia tomado seu corpo e o levado para me incomodar. Que seria um plano do Maligno pra me derrubar, poderia... mas já não tenho tanta fé pra depositar toda culpa no capeta.

Foi a vida, mesmo... a necessidade, a fraqueza de um menino-homem que não tinha onde se segurar.

— Pastor... eu realmente não tenho chão. — De cabeça inclinada, erguia os olhos pra fitar os meus, secava as lágrimas com o punho da mão direita e aproveitava para coçar e atiçar o sono que teimava parecer.

— Pastor... a gente morava com minha tia. A gente não... ela... a mãe... eu vivia por aí, mas a tia não me recebeu, não, disse que lá eu não piso, que matei a pobre irmã dela... eu não vou brigar, pastor, ela tá certa... eu matei minha mãe, não mereço ficar no mesmo teto dela, não mereço...

Impossível não recordar anos atrás, quando abriguei aquela puta aposentada, que aparecera no meu quarto pelada e chorara na ponta da minha cama, derrubando deus e o mundo aos meus pés, pés que beijaria para sempre... desde lá até nosso casamento, até vir me visitar todos os dias neste hospital, fedorento e sofredor de ausência divina. A puta virara esposa...

O assassino... amante.

Não quis recebê-lo. Eu sabia do perigo, das intenções que já se fervilhavam dentro de mim, antes de qualquer resposta ou pensamento; no fundo, eu já visualizava o cuzinho fechadinho do menino: odiaria admitir se não tivesse certeza do meu fim.

Davi dormiu aquela noite em casa, contei pra bianca, que não falou um pio. Ela lembrava de ter sido acolhida e, por todo o período que o veado ficara em casa, salientava a minha importância na vida dele, o quanto eu acrescentava ao interior daquele menino... Pobre bianca, mal sabia que eu acrescentava mais do que ela poderia imaginar.

Nestas memórias, bianca, já te pedi perdão?

bianca no hospital

— Já te pedi perdão, minha querida?

— Perdão?? Perdão pelo quê? — minha mulher continha um sorriso desconfiado, olhos contritos, não sabia quão sério eu falava.

— Perdão, meu amor... por tudo o que te fiz passar, por tudo o que está passando, que deus lhe pague em dobro!

— Jesus!!! Como você pode?! Não faça isso comigo... não peço nem por você, peço por mim! Se você me ama, não suplique meu perdão, por que eu te entregarei o quê? Você... você me perdoa?

Quando vi, já puxava seu braço pra perto de mim, dei-lhe um beijo que a fez manter os lábios separados, pouco a pouco ganhando um sorriso. Correu para a porta e a trancou.

— Você vai pedir perdão se não me comer bem comidinha agora.

Bianca voltou a me beijar. Sua pele tocava a minha e eu sentia a ausência de barba. Não era ruim, apenas diferente; no momento, exatamente do que eu necessitava, um rosto macio, cheiro de alguma flor que desconheço, cabelos tocando minha pele, de uma sutileza feminina comandando meu corpo, corroendo esta carcaça cheia de pecado: batismo da alma.

Só percebi que não levantou quando ela chegou no meu pênis, brincou que estava dormindo e começou a calmamente introduzi-lo na boca.

Depois de alguns minutos, falei.

— Para. Não vai.

Ela sorriu, gozada, e disse que ia sim; ela ia dar um jeito, e se direcionou a ele.

— Para, bianca! Não vai! Eu não vou! Não adianta!

No susto, mordeu a cabeça do meu pinto.

!!!!!!!!!!!!!!

E suplicou desculpas.

Pegaria AIDS de novo, mas não deixaria ninguém morder a cabeça do meu pinto.

Sem jeito, andou pra lá e pra cá, clamando a deus por desculpas. Literalmente, clamando a deus por ter mordido a cabeça do meu pau. Pedi que parasse de falar o nome dele em vão, mas era só porque eu estava cansado da sua súplica.

— Perdão, Jesus, perdão, Senhor.

Entrou no banheiro pra ver se o momento passava. Quando saiu, perguntou o que era aquele caderno que sempre estava do meu lado, meio escondido, inalcançável. Não queria tratar disso agora.

— Meu amor, desculpa... eu só queria te deixar feliz. Mesmo. E o seu beijo me deu um fogo... desculpa... vamos conversar... quero perguntar isso há um tempão já... de onde tirou esse caderno e o que faz com ele? Escreve orações?

— Mais ou menos isso... quando eu... — pensei em usar a palavra "morrer", e pelo tempo em silêncio, ela percebeu — quando eu terminar, você será a primeira a ver. Talvez, só depois do pastor. Mas... você verá, e acredite, mudará sua vida. Mas não pode nem tentar pegar agora. Não pode mesmo! Pelo senhor!

— Eu não faria isso, amor... até parece! Aprendi a ser discreta e a não me meter no que não era meu quando... quando era da vida, do mundo. E foi a melhor coisa que aprendi. Evitou muita desgraça... ainda evita.

— Só saiba, bianca... sempre... que eu te amo. Com tudo aquilo que tenho e o que não tenho.

Meu pinto endureceu e mandei que ela subisse nele.

O dia em que Mamãe foi explícita: Não seja gay!

Olha aqui, moleque... olha aqui... você já ouviu falar desses homens... homens? Dessas aberrações... dessas coisas de Satanás que namoram outros homens? É aberração do diabo, meu filho! E você não pode, nunca, ser assim. Nunca! Você gosta de meninas, não importa o que os outros dizem. Você é o meu menino, meu macho, e macho só gosta de menina, gosta de corpo com bunda, peito... eu sei... eu sei que você ainda tem catorze anos e pode achar feio sua mãe falando assim... do corpo feminino... tem uma hora na vida que a gente precisa falar a verdade senão o futuro pode ser muito pior... a relação... relação de casal... é para homem e mulher, só os dois, casados, juntos... em comunhão com o Todo-Poderoso... meu filho, disseram que você tem jeito pra ser um aberração... você não é! Não é! Eu sei que não...! É meu filho! Filho do Deus de Israel, do Jeová, do único Senhor desta terra. E ai de você, meu filho, ai de você se um dia eu souber de qualquer coisa que seja desviada dos caminhos do Senhor... se um dia me disserem com provas que você é uma... uma... uma bicha... eu não sei do que sou capaz, não sei mesmo!!! Prefiro... prefiro... prefiro você numa vala, Glória ao Senhor, do que com outros rapazes. Na vala eu sei que você foi pro céu, pelo menos... porque essa vida, você sabe, essa vida é finita... o Reino, não, o Reino é para todo o sempre, aleluia!!

Notícias dela

Mamãe está na Colômbia! Ainda não conseguiram pô-la na linha, porque quando o pastor local confirmou a informação, ela não tinha saído, mas não apresentava doença alguma. No final, o médico dos médicos parecia tê-la curado. E, por brincadeira do destino, a levara para o país que eu mais sonhava conhecer, para o país que esbanjava sensualidade e, aos meus olhos bobos, uma vida mágica. De lá saíra Gabito e meu pastor colombiano, que dissera "O senhor aceita".

Ah!, se ele soubesse onde estou agora... O senhor aceita, mas manda direto pro inferno.

Pro inferno; antes irei encontrar Mamãe, temia por isso, por ver o capeta antes dela. No final, não sei se existe muita diferença entre os dois, o diabo e a progenitora.

Esse seria um bom título para as memórias, senhor, caso um dia publique: *O diabo e a progenitora*, ou algo do tipo, ou também *Pastor escreve diário sobre ser* gay — esse é mais comercial, vendável, destinado para jornais. Tá aí, redator, nem precisa pensar:

"Pastor aidético escreve diário revelando ser homossexual".

Imagina os meios evangélicos falando disso...

Senhor, lembre-se apenas de salvar a matéria e mandar pra Mamãe: ela sempre quis me ver no jornal.

Apócrifos do homem morto: ligação entre deus e o diabo

— Onde *cê* tá?

— Rodeando a terra.

— Viu Jó, meu servo? Não existe ninguém igual a ele nesta terra de deus dará; íntegro e reto, não cai no mal.

— Tá fácil pra ele... rico, mansão, mais de trinta prédios na cidade, três empresas, contrato com o governo... Pesa a mão no fia-da-puta pro *cê* ver. Aposto que cede e em dois toques tá do meu lado.

— Não pira... não pira... Jó é fiel!

— Aposta o Miguel?

— Não vou apostar.

— O Gabriel, então.

— ...

— Mikael?

— Não vou apostar anjo nenhum!

— Aposta sem valer nada, então, como nos velhos tempos... só pela diversão.

— Não faço mais isso. Já deu merda com Noé. Tive que adiar o dilúvio porque ele não terminou a arca.

— Mas a cara de espanto dele com você mandando ele agilizar valeu a pena...

— Para... não farei isso com Jó.

— Aposta e testa teu fiel... será que ele permanecerá íntegro quando for pobre?

— Não fez nada pra ser castigado.

— Nem as crianças da África.

— É outra história, capeta.

—Detesto essa alcunha, odeio o som do "c" com a vogal "a" e esse "p" logo em seguida. Não transmite medo nenhum; as nasais de "demônio" soam muito melhor.

— O dia que eu tiver que te chamar do que você quiser não estarei mais sentado no trono.

— Assim esperamos.

— Cala essa porra de boca.

— Vai ou não vai?

— Vou o quê?

— O Jó, caralho.

— Lava essa boca!

— O Jó...

— Vou.

— AEEE! ACHEI QUE IA ARREGAR!

— Vou e vou vencer... eu não perco, capeta.

— Pode até ser... mas a diversão vai valer a pena.

— Derruba um dos prédios dele e deixa que a fiscalização faz o resto.

— Jeová, eu te adoro!

Capítulo das prerrogativas quase inúteis #2: o egoísmo cristão

Deus julga as pessoas de acordo com o coração de cada uma. Isso significa que um cristão praticante é julgado diferentemente de uma pessoa que jamais ouviu falar de deus ou de algumas de suas leis.

Ora, então por que colocar esse fardo em alguém? Por que contar o que ele não pode fazer a fim de ser julgado? Seria melhor, então, não saber!

A bíblia diz: ide e pregai. Ou seja, os mesmos estudiosos afirmam que é obrigação do cristão espalhar a palavra do messias, para que ela percorra toda a Terra.

Quem conhece as leis será julgado de acordo com elas. "Espalhar a palavra" é uma lei. Quem sabe disso, e não espalha, será punido.

Logo, uma constatação interessante: os pregadores do evangelho são, no fundo, egoístas! Afinal, se eles não falarem, serão punidos. Mas, se não revelarem deus e suas leis ao próximo, o próximo não será punido. Um ou outro vai se dar mal. O pregador decide qual. — E você sabe qual a decisão dele, porque sabemos quem toca sua campainha na manhã de um domingo perguntando se tem tempo para Jesus.

Semana que vem eu poderei ter alta

Não explano detalhadamente o assunto da minha internação e tratamento por motivos de: desinteresse. As memórias servem para relembrar coisas importantes, e não as bobeiras que me induzem a este hospital, ou os motivos de estar aqui há certo tempo.

Entretanto, o médico disse que eu poderia voltar para casa. E confesso estar com saudade de um sofá comum, da minha cama e dos meus filhos. No hospital eu não fico sempre preso ao quarto, posso ir ao jardim ou a qualquer passeio que desejar. Aliás, não sei se posso classificar como hospital o lugar onde estou, talvez um centro de recuperação católico, que cuida de portadores de HIV.

Além disso, estou ocupando espaço de outros internos que podem alcançar real melhora nas mãos dos médicos e enfermeiras daqui. Hoje dependo apenas do meu organismo e da receptividade dos remédios, que não tem sido muito boa. A baixa imunidade é sempre preocupante, e por isso me mantive aqui o maior tempo possível. Em casa, tudo terá de ser modificado para minha recepção.

— Mas, você estará em casa, meu amor! — dissera bianca.

Ela tinha razão...

Meus filhos.

Se esses seriam os últimos dias da vida moribunda que tive, melhor que fosse perto dos únicos seres puros que ainda conheço.

A vida sem o bêbado

Nos dias de luto Mamãe mal comia, mal bebia, mal brigava, muito rezava e abraçava, chamava para o colo, dava de comer e enchia de carinho. A morte do marido batia de frente com sua fé e, deixando de ser boba, passou a notar que no céu ele não teria vez. Angustiada, disse que pecou ao pedir pra deus salvar a alma do bêbado; evangélicos não oram pelos mortos — e seria uma bagunça se o fizessem! Já se metem na sociedade e na política, enfiar-se no mundo dos defuntos seria o fim de qualquer sossego.

Carregada pelo Senhor, foi superando a derrota: encarava, assim, que a morte do bêbado era culpa sua, não orara o bastante, não entregara sua alma a deus, falhara em ser serva do senhor e por isso o caminhoneiro passaria a eternidade no fogo, tendo sua pele carcomida, devorada pela grande boca de Satanás. Culpava-se pela falta de fé; se tivesse clamado pela ressurreição, quem sabe?

Precisou voltar a costurar em escala profissional, pra vender e render e colocar comida na mesa. Minha irmã precisou adiar a faculdade e trazer dinheiro pra casa. Talvez por isso se casou e foi embora tão rápido, desistindo de nós.

Puta interesseira, deixou Mamãe de mãos abanando, e eu, com treze anos, precisei fazer alguns bicos, vez ou outra de garçom, dando aula bíblica, nada fixo, nada duradouro, apenas em tempos de crise. "Sua vocação é ser pregador", ela já dizia.

Superou a morte, mas tornou-se ainda mais solitária e amargurada, dedicada a Jesus, o filho de deus, e não a mim. Quando não costurava, estava entregue em oração e jejum e louvor; passou a encarar a vida como mera preparação até a eternidade, um subir de escadas constantes, diário, desejando se aproximar do céu;

mostrava-se sempre exausta, no limiar da existência, sempre no último suspiro, a ponto de se entregar e partir:

— Seria melhor irmos direto pro paraíso.

Nas poucas verdadeiras conversas que tivemos, pequenas, mas significativas frases eram ditas: "Eu preferia morrer agora... só não faço porque é pecado imperdoável... essa vida não é pra mim, não". Falou um par de coisas e bobeiras, mas contive-me no exato ponto de que ela não se matava porque era um pecado sem volta, sem tempo para arrependimento. Os filhos, eu, seu fiel escudeiro, pouco lhe importavam. "Você tem que ser maduro pra entender as coisas que digo!" Eu tentava sempre transparecer compreensão, mas no fundo só desejava um pouco de carinho; nunca teria. Sempre pela emoção, indomável, gritar e clamar ao Senhor, aos prantos, entregue em seus pés, prostrado, prestando reverência ao Onipotente.

Ninguém, nem Mamãe, questionavam as razões de ser da religião; acatavam, apenas, "tá na bíblia", porque, o que realmente a escritura dizia, não importava. "Confiar no pastor sustenta!", detentor de todo o conhecimento, recebedor de instruções diretas de deus.

Bobeira, senhor, deus não transmite regras ou leis pra ninguém. Ele quer que você se foda tentando descobrir o que é de sua graça e o que não é. Mas ela não entendia, apenas ignorava e repudiava os poucos questionamentos que tive coragem de verbalizar, sempre afirmando que o pastor estava certo.

Esses sim ganhavam atenção e carinho de Mamãe. Ela substituiu o bêbado pelos líderes; até onde soube, não oferecia cuzinho, mas oferecia além: devoção, amor, cuidado, dinheiro, moradia. Ofereceu tanto que, anos mais tarde do afogamento do caminhoneiro, ela traria um desses pra dentro de casa, como seu novo namorado.

Se não vou ao paraíso, o paraíso veio até mim.

O colombiano bateu na porta da minha casa, sorriso largo, pele morena. Como foi bom rever seus traços indígenas, os olhos, os lábios e os cabelos. Só de vê-lo, senti-me acolhido. Em toda minha vida não devemos ter passado mais de quinze horas juntos, não seria errado, entretanto, dizer que ele foi o homem que mais me conheceu. Parecia ter em seus olhos uma vidraça d'alma, mítica colombiana, magia de cigano, tradição indígena, não sei. Olhava e enxergava.

— Sonhei com teu casamento, meu pastor — ele disse — tendo a crer que foi mensagem de Deus.

Chamei bianca para que o conhecesse, ele cumprimentou-a e abençoou-a. Não existia julgamento em seus olhos; ele sabia que eu amava bianca, mas sabia que a situação era mais complexa do que puramente um amor ideológico e platônico de quem diz que ama e, de fato, ama.

África, Quênia, Congo, Egito, Suriname, Guiana Francesa, todos países pelos quais tinha passado; falava com encantamento nos olhos e descrevia as outras culturas com uma habilidade precisa, de quem se dedicara a aprender sobre aquilo. Quando perguntei se não achava pecado participar de rituais africanos, o colombiano, com leveza, encostou as pontas dos dedos das mãos uma às outras, como se esfarelasse algo.

— Deus é assim, pastor, está em todos os lugares, se ele achar ruim, peço perdão, mas tendo a crer que não ache...

— Mas Ele diz que é pecado!

— Meu pastor, amo-lhe e respeito-lhe, quem diz, porém, é Moisés... e tenho essa irritante tendência a discordar de Moisés, grande homem, grande homem... pequeno sou, bem sei, peço perdão e espero estar no agrado dele...

Ele derrubava todas as teses que eu erguia. Gentil, leve, parecia pensar em todas as sílabas que pronunciava, sabia do peso de sua fala, da sabedoria que continha, mas colocava-se abaixo de todos, não precisava ser ouvido, precisava ouvir. Não demorou a bianca se retirar de casa, ia ao mercado, enquanto eu continuava a testar minha flexibilidade teológica; acreditava ter, naquela época, aberto tudo. Bobo de mim, o colombiano ensinaria mais morto do que vivo.

— Meu pastor, você encontrou uma bela mulher, meu pastor.

— Eu a amo com todas minhas forças.

— Perdão, meu pastor, não acredito que sejam com todas as suas forças... peço-lhe perdão, mais uma vez, tendo a não acreditar, sou um homem cético, acredite. — Ele alargou seus lábios e soltou uma poderosa gargalhada; era o próprio espírito à minha frente, como eu mentiria ao espírito de deus?!

— E o que me sugere, colombiano?

— Agora, meu pastor? Tendo a crer que o senhor acabou por se meter numa situação complexa. Ou mantenha-se fiel à sua esposa, ou dialogue com ela, explique e se divorcie. Minha opinião, nesse caso, é irrelevante, suspeito que tenha uma excepcional relação com bianca.

— Sim, tenho.

— Não sei, meu querido pastor... o que te fará feliz? Você é feliz?

— Eu... eu...

Bianca retornou do mercado, ensopada; chovia e eu sequer havia escutado o som da chuva.

— Uma tempestade vem aí, devo ir.

Pedimos que ficasse, que jantasse conosco, ofereci-me para levá-lo à rodoviária.

— Devo ir para a chuva, aproveitá-la.

Permanecemos imóveis, sem entender direito o que ele queria dizer com aquilo.

— Apenas uma... como se chama no Brasil? Uma brincadeira! Não seria tão homem do mato para tomar banho de chuva aqui no centro da cidade.

Já eu, respondi:

— Se você me desse um guarda-chuva, sairia cantando *singing in the rain.*

Essa é, senhor, uma das únicas piadas que me recordo de ter feito em anos. Desconsidero meus filhos, lógico. O colombiano trazia consigo o espírito de deus e o espírito da alegria. Falava de temas espinhosos sem perder a graça ou impor sua verdade, era divino, o homem, fez-me rir, fez-me piadista, não me fez confessar a culpa de ser um covarde e *gay*, pobre homem, nem Cristo só fez milagres. Amei-o com todas as minhas forças, amei-o diferente do que amo meu irmão, do que amo bianca e do que amei minha mãe. Amei-o como se fosse o único elo entre eu e Iahweh, o toque, o encontrar dos corpos. O colombiano era a fricção entre o meu dedo e o do Poderoso. Quando o levei para a rodoviária, despediu-se de mim com um olhar triste, não contou o que era, santo demais pra confessar-se com um pecador, falava de sua viagem, grande perigo:

— Tendo a crer que deus não me quer lá... — respondi.

— Por que vai? — Respondo bem as perguntas de todos, meu pastor, mas as minhas permanecem um completo mistério — e sorriu, dando vida aos seus dentes, uma vida arrastada, incompleta, ainda assim, muito mais vida do que a minha.

Quando soube de sua morte, passei quarenta dias e quarenta noites em jejum, uma refeição por dia, orando pelo mundo. Tolo eu, momento de ingenuidade: se o colombiano poderia ser assassinado, o que me esperava no fim da vida?

Pequeno glossário de expressões protestantes

"Eu sou evangélico": argumento de defesa para qualquer ato supostamente antiético ou justificativa prévia para uma ação duvidosa.

"Ele é evangélico": discurso em defesa de terceiro.

"Eles são de família evangélica": forte argumento para corroborar a honestidade e integridade de uma família.

"Ele é pastor": ladrão, enganador, serpente, lobo em pele de cordeiro, para não evangélicos. Santo, íntegro, fazedor de orações para evangélicos e simpatizantes.

"Paz do Senhor": cumprimento tão automático que não diz porra nenhuma.

"Dízimo": mentira religiosa para pagar as contas da igreja e, muitas vezes, pagar o importado do pastor.

"Homossexual": criatura vilipendiosa que objetiva a conquista do mundo e subversão dos direitos religiosos.

"Prosperidade": só vem com o dízimo.

"Aleluia e derivados": preciso dizer algo para mostrar que estou aqui.

Gozei

Esbranquiçado; por vezes de tom amarelo, quando há muito não visto; escorre pelas paredes, ou gruda nos pelos, juntando-os, em cerimônia. Na boca, varia de gosto; dizem pro *boy* comer legumes que dá pra engolir; quem é que sacrifica a carne pro parceiro não cuspir? Cuspa e que se foda; cremoso e grudento, espirrado como um tiro de glória, de quem pede arrego e lá se vai a porra, cheia de secreções, vesículas e milhões de espermas, pro ralo, pra cara, pra onde apontar. Lá se vai, salgada e intragável. O segredo é na hora "h" colocar o pau bem próximo da garganta, não tão dentro, pra não vomitar, mas dentro o suficiente pra nada [ou muito pouco] respingar nas papilas gustativas; todo mundo fica feliz. Sêmen faz bem na bunda, na cara e no corpo, não porque ajuda a pele, mas porque, bem, porque é bom.

Cura gay, tranquei meu feliz ânus

Vinte e dois anos, dezesseis ânus dados e outros chupados. O que eu fazia já não era considerado doença pelas maiores e melhores organizações psicológicas; apenas a igreja tendia a persistir no caráter doentio: ela e toda sua sociedade, não só héteros, mas os próprios veados acreditavam em distúrbio, desvio, problema, doença e cura; como se livra de uma gripe, assim seria a veadagem, breve e passageira, alguns remédios, bocetas engolidas, abstinência, repouso e normalidade, eis que repudio pintos e louvo vaginas. Amém, Jesus!

Subi ao púlpito para pregar e fui recebido de braços abertos, irmãos sedentos pela palavra, por um lugar para descansar: e eu era esse conforto, esse transporte. Minha fama de bom pregador se espalhava pela cidade, e pessoas, sabendo do meu dia, iam à igreja, ouvir o que a jovem promessa tinha a dizer: e eu dizia muito, esclarecia tanto mais e embebedava de poder e emoção aqueles crentes carentes. O senhor concedia grandiosidade aos meus lábios: os mesmos que pagavam boquetes, os mesmos que lambiam bundas e beijavam homens.

Nesse dia, o senhor pesou sua mão e senti o peso da cruz que carregava: era preciso me curar, buscar em todas as instâncias possíveis o abandono da homossexualidade, o adeus ao pecado. Pedi afastamento da igreja, alegando projetos pessoais com usuários de drogas. Adorado pelos irmãos, nenhum se opôs. Ao contrário: "Podemos ajudar, pastor". Não, irmãos, a missão dessa vez é minha e apenas minha.

Juntei a bíblia. Incerto do que encontraria, fui em busca da minha resposta. Parei no portão de casa, com Lucas me interrogando. Dei a verdade a ele, o único que sabia de minha condição: vou me curar, irmão, ore por mim.

— Não oro nada. Você não é doente, é *gay*. E daí?

— Fala baixo, animal! Alguém pode ouvir...

— Ouçam, ué, não é nenhuma mentira.

Lucas, como também já relatei, foi outro que não demorou para sair de casa, exausto pela atmosfera e pelo peso da religião, diferente de minha irmã, a fujona, sempre se prestou a qualquer necessidade da velha mãe e do veado irmão.

Percebi, ao pisar fora do portão, que estava perdido, sem direção ou ideia de destino: quem me ouvirá? Aliás, com quem terei coragem de falar? A segunda pergunta soava mais importante do que a primeira. Profissionais não faltariam; dinheiro, sim. Psicólogos ou qualquer caralhada das redondezas não eram opções; caros e blasés.

Fui à biblioteca e sussurrei o que queria à bibliotecária. Diferente do que acontece em filmes, ela não gritou meu pedido constrangedor para todos ouvirem, acatou minha timidez e direcionou-me a dois livros, dos quais já não recordo o título. Permaneci até a hora de fechar, separando trechos e anotando instruções.

Teresa, a bibliotecária de passos leves e sorriso comum, chegou-se à minha mesa, pediu licença e não mencionou o fechamento do local. Elogiou o dia de muitos leitores e revelou ver preocupação em meus olhos.

— Há dúvida em você, querido. E não suponho por vidência, mas pelos teus olhos aflitos que viajam nestas páginas de maneira tão rápida e ávida. Lembra-me de quando li *A insustentável leveza do ser*, já ouviu falar? Um murro bem dado e uma agonia tremenda... o que eu fizera da minha vida?

— Já ouvi falar do livro, sim... — ainda intimidado pela postura que a mulher continha, de plena humildade e inteligência, entregando pequenas verdades como quem entrega um doce ao final da tarde.

— Você gosta de clássicos?

— Minha mãe proibia, mas uma professora de literatura me ajudava... recomendava e me emprestava escondido.

A senhora sorriu. Por volta de trinta anos, tinha uma beleza cansada. Não era divina ou especial. Mais comum do que gostaria de admitir e talvez isso a incomodasse, também, mais do que gostaria de admitir. De todo modo, me contou de sua professora, de seus clássicos e de suas paixões doentias, Borges, que escrevera pouco demais, Hemingway, maldito por fazê-la acreditar que sempre utilizava de muitas palavras para falar o simples; e o maior de todos, Quintana, com quem ela aprendera a contar Quintanares; por sua definição, sutilezas que mudavam o homem.

— Por que tão exaustos, teus olhos?

— Pelo que tenho visto...

— E o que tem visto, querido?

— É possível viver em contradição?

— Veja cá, é possível viver sem elas?

— Mas não... não são pequenas contradições, são tudo o que sou, um dia vou cair.

— Se cair, levanta.

Olhei pras capas dos livros — lembro-me bem desse movimento — e olhei nos olhos da senhora, que respondera sem qualquer pergunta.

— Eu sei que você é *gay*, meu querido — Olhei para a textura da mesa, turva como meus pensamentos, bati os dedos e senti o oco que havia em nós. — e sei que você não queria ser... acho, pelo menos.

Doce, não me condenava, compreendia as motivações e entregava a culpa aos que nos formavam: bela, bela sociedade. Ela foi minha mãe pelo período de três meses, todos os dias, batendo ponto na biblioteca. Passei a ajudá-la, viver entre livros e entre ela. Em momento impensado, subiu no segundo degrau da escada para arrumar os livros. Segurei sua cintura, mais firme do que eu imaginava, recostei o rosto em seu corpo e senti o calor da mulher, que buscou equilíbrio pelo susto do meu toque. Um leve grito, não era tocada há muito. Passei as mãos pelo seu ventre, tão retilíneo, cinturado, escondido atrás das blusas grandes que usava, imperceptível ao olhar desatento; trouxe-a pra junto de mim e agradeci pelas suas costas por tudo o que fazia por mim, sem saber quem eu era ou de onde vinha; importava-se apenas com o "vir", com o café que lhe trazia, açucarado e com leite. Parecia tomar a bebida por convenção de trabalho, não apreciava muito, mas o café estava associado à sua função. Sem ele perdia o tino, sentia sono, era sua droga particular, a droga que mantinha a sutileza de seus gestos e os quintanares de seus verbos: ser, *des*ser, vir, sorrir, amar, adeusar: ato de se despedir, que aprendi quando concluí o que tinha e o que não tinha para fazer naquela biblioteca. *Hoje vamos nos adeusar,* ela dizia, entre goles de café, como se eu fosse um mero exemplar a ser emprestado. Doeu em mim, mas percebi que seus quintanares eram doloridos. Eu, bobo, demorei a perceber quanta tristeza carrega um verso de simplicidade.

— O que busca especificamente, meu querido?

— Cura — seco, direto, sem emoção, nem para a direita nem para a esquerda, reto, sem curvar os olhos, permanente no alvo de Cristo!

— Doença penosa essa, querido.

— Todos sabem...

— Ah se soubessem! Nem imaginam o quão desgastante é estar doente desse jeito. Sujo... destruidor de lares, quase irreparável, não acha? O doente precisa de muito esforço para ter alta... jamais me relacionaria com um.

O desprezo dela batia em mim sem dó, aceitava a repreensão da igreja, mas não de uma mulher comum, doce, moderna.

Ela concluiu:

— O preconceito é das piores doenças...

E sorriu com aqueles lábios de Maria, virgens e imaculados, nunca dantes vistos em melhor conjuntura, pronunciavam o impronunciável, "você merece ser amado", de maneira jamais dita, moviam-se com ardor e sutileza, em sincronia desentendida, cogitavam o fim do lamento como eu cogitava o mais próximo dos cumprimentos, o tocar de bocas, o estupor do desejo, o renascimento. Segurei-me, entre páginas e universos, ansioso pelo que viria, pelo que escreveria, um dia, prosas ou versos; como enquadraria, Jesus, os lábios de Maria?

Foda-se a comparação exata e poética; fodam-se as juras, os penteares de cabelo, os espelhos denunciantes; foda-se a retórica e fodam-se também os namorados; foda-se José Dias e a quebra de estilo; volte de ressaca, embebede teus lábios, ó Teresa, conhecedora daquilo de mais grave e obscuro das minhas... profundezas.

— Querido, não vou te impedir... vou deixar você tentar, vou deixar você vir aqui todos os dias e ainda vou te ajudar: vamos em busca da sua cura. — Mandou-me para casa e que amanhã chegasse cedo, daria material e ligaria para alguns conhecidos.

.

.

.

— E onde passou o dia inteiro????? A igreja cheia, precisando de gente pra oração, atendimento, cuidado, e você passeando???? — Mamãe me esperou no sofá da sala, pronta a me tratar como criança.

— Eu sou teu pastor, mulher. Não fale comigo da maneira que costumava falar. Por deus, sou autoridade perante você.

A cara dela desmontou em pedaços, recolheu-se e deitou, decidida a pensar em algo a me dizer. Desgostosa, deve ter passado a noite inteira remoendo o que falei, enquanto eu dormia o sono dos justos, ansioso e preparado para a cura e, quando curado, nada me abateria, nenhuma tentação do demônio. O senhor encheria meu vaso e eu transbordaria de sua glória: uma cura, centenas de milhares de almas salvas. Atenta pra mim, ó senhor, que sou teu, desde o ventre, desde o primeiro passo ao último suspiro; bem-aventurado sou, por meditar em ti de dia e de noite... eu pedia levianamente por tantas causas, mas orava com ardor apenas por uma única, e você, senhor, já sabe qual é.

Isaías 59:1-21

Pela manhã, Mamãe aguardava sentada na cadeira da mesa da cozinha, dois pares de pernas velhas, o fogão marcado pela gordura, cansada de ter tido um dia branco; preparava o café. Abri as portas do armário cinza, desbotado, rangeu prevendo a gastura do ambiente; Mamãe cortava seu pão fresco e passava manteiga, havia também presunto e queijo. Ela usava um vestido amarelo que havia muito não saía do armário. Lembro-me que o vestia apenas para ocasiões especiais, e isso significava: cultos promissores ou a chegada do bêbado. A roupa, um tanto desajustada, colada demais na barriga que surgia pelos ombros curvados e pelo sedentarismo: "Não tenho tempo pra caminhadas...", mentia, sempre, ou melhor: priorizava outras ações. E sempre me apeguei à sua lógica religiosa, não que a amasse, mas, se salvar almas é o maior trabalho de um cristão, por que haveria de se preocupar com supérfluos? Antes a alma que o esporte, antes a alma que o dinheiro, antes a alma que o trabalho. Ou um trabalho vale mais que uma alma salva? É uma lógica aniquiladora, capaz de arrancar, por força e racionalidade, a hipocrisia do fiel.

Caio na risada quando questionam a lógica evangélica, burros! Não entendem nada de lógica, nem de evangélicos. Em suas lógicas, em suas racionalidades, do mesmo modo que 2 + 2 são 4, ser chato e incisivo para que fulano do pagodinho vá à igreja faz todo o sentido: melhor ser chato do que deixar que um irmão queime no inferno. Melhor ser antiquado do que queimar no inferno. Melhor privar seu filho de uma balada para garantir o lugar dele no céu. Por lógica, senhor, eles estão certos. Se é pra sentar e racionalizar, entregaríamos o dia ao Todo-Poderoso. Entretanto, ou os chupa-sacos da ciência são idiotas e dizem o que dizem pela pose de sabichão, ou preferem ignorar que religião se constrói no raciocínio humano, jogando tudo pra fé e falta de explicação. Entretanto, a vida não é só lógica, nem para a ciência, nem para a religião, feita de pequenos acasos ou de um destino massacrante. Não importa, tudo pode se transformar em questão de milésimos, centésimos de segundo: "vire à direita, não à esquerda", e um universo de novas possibilidades pode ter nascido sem que alguém saiba, ou pouco se importe, porque, se for destino, não importa se é pra um lado ou para o outro, e se for acaso, ele há de encontrar um modo de foder com a sua vida. Assim, senhor, espero que entenda: Mamãe era dotada de lógica, mas isso não alterava em uma vírgula os absurdos que cometia... talvez apenas os salientasse, sabe-se lá.

— As irmãs me falaram hoje no círculo de oração, cedinho, que você tirou três meses de férias. De onde tiraram isso?

— Da verdade — cortei meu pedaço de pão e passei manteiga. Era o último café da manhã que eu tomava, antes de entrar num duro jejum de três meses, comendo apenas no almoço. Ela tomou a faca de mim.

— Você pode *prestátenção* no que eu *tô* falando?????!

— Não com uma faca apontando pra mim. — Tomei dela e terminei de usar, para colocar o presunto e o queijo.

— Senhor, que que te deu de ontem pra hoje? Decepcionando Jeová de novo?! Vai ficar meses longe, igual quando era um pivete? Lembra aquela vez??

— Lembro, e não falarei dela agora — mas te conto depois, senhor.

— Aaah, e por que não???? O que você tá escondendo de mim agora, menino??? Te criei pra depois de pastor sumir de casa, da igreja e achar que pode tirar férias pra passear na cidade???? Satanás não tira férias!!!!!!

— A senhora tá amiguinha dele?

Ainda bem que tirei a faca de sua mão, porque o tapa acertou em cheio a minha cara, com um sermão sobre blasfêmia e afronta divina. Eu sabia que a brincadeira era pesada, ainda mais com ela; porém, rebulia em mim a necessidade de confronto, de crise; pesava em meu ser o desejo de romper laços, mesmo que temporariamente, apenas para saber o que aconteceria. Com ela e comigo. Eu queria brigar, no mais profundo e calado silêncio, queria quebrar copos e pratos, gritar como um condenado à morte!

Coloquei o presunto e o queijo no meu pão, dei uma mordida. Tirei o café do fogo e servi minha xícara. Coloquei três colheres de açúcar, a vida inteira ela nos forçava a colocar apenas uma.

— Comprou o pão na Elvira?

Ela bufou e começou a falar os nomes de deus. Comprimi os lábios e levantei a sobrancelha esquerda; de repente a cadeira velha caiu e as ainda mais velhas pernas pularam pra cima de mim, na intenção de arrancar meus olhos. De propósito, joguei minha cadeira para trás, preparei-me para a queda. Ela, não. E espatifou o nariz no chão; estalada ao meu lado com aquele vestido amarelo, para ocasiões especiais!; humilhada, manteve-se deitada até que eu saísse de casa e gritasse: "deus abençoe você também, Mamãe".

"Eu sou livre"; pensei no ponto de ônibus. Pensei e senti, carregava uma liberdade divina, sentia-me próximo a deus, mas distante das minhas funções. Teresa me aguardava com café em mãos, havia ligado para alguns amigos que entendiam da área. Um estudante de psicologia iria até lá.

— Não precisa ficar nervoso, ele manterá tudo confidencial.

— E como posso acreditar nele?

— Vai ter que ter fé — ela sorriu, e virou as costas pra mim, caminhando em direção a uma menina de cabelos vermelhos. Usava uma regata branca e uma saia preta. Um *piercing* no nariz — e cheiro de enxofre do capeta ao longe, Mamãe diria. E o cheiro de boceta bem usada, pensei. No fim, quase a mesma coisa.

Se quis comer uma mulher antes de todas e com mais intensidade do que todas, foi ela. E cheguei a vê-la pelada, cheguei a tocar seus peitos, cheguei a lamber sua genitália, lisa, de pelos e de lábios; parecia intocada, no mar do leite branco que era sua pele, ao mar de leite branco que eu quis jorrar nela. Isso aconteceu no segundo mês de conversa, quando ela se aproximou do meu ouvido e disse que sua calcinha sempre molhava por mim e, por causa disso, hoje não vestira nenhuma.

— Prazer, Pietra.

— Prazer.

— Não vai me contar seu nome?

— Thiago.

— Adoro Thiagos. E você trabalha com...?

— Sou pastor evangélico, Pietra.

— Uuuuuh, começando bem essa carreira hahaha! Vamos achar uma mesa?

Consenti, e, meio envergonhado, levantei.

Conversamos por um longo período. Pietra me explicou as bases da psicologia; confesso até hoje não saber por que ela fez isso, mas aqueles olhos em meio às poucas sardas que tinha cativaram-me. A estrutura de seu rosto, fina, em simetria invejável, realçava o ruivo que caía sobre si e sobre os peitos à mostra pelo decote da regata solta, volumosos: imaginei seus peitos naquele instante e vi que eram ainda mais bonitos quando tirou sua roupa para mim.

— Fale um pouco de você... preciso ouvir, te conhecer.

Não fazia ideia de como começar. Veja bem, se só essas memórias, restritas aos meus mais importantes momentos [creio eu], preencheram tantas páginas, como resumiria isso tudo em poucas palavras?

— Vamos lá... você não é pastor? Faz de conta que está pregando sobre você em vez de Jesus, e me conta.

— Amém... eu nasci evangélico [...] — e contei muito do que já contei aqui, mais engasgado, sem a prepotência de uma caneta por trás, enrolando na fala e tímido por revelar coisas que não queria. Escondi, porém, casos como do meu coleguinha *gay*, ou o do cuzinho da Mamãe. Contei, também, fatos que ainda não tratei aqui e não sei se caberão, como quando tive HPV e meu pau quase caiu, ou quando trepei com um preto tão gostoso e pauzudo que pedi trégua. Ela riu e revelou que "conhecia a sensação, irmão".

— Thiago, eu quero tentar de tudo... leio os teóricos, mas quero colocar tudo em prática, entende? Existem alguns tratamentos para curar sua homossexualidade. Existem, sim, e dizem alguns que funcionam. Não sei se acredito, nem se desacredito. Fato é que ser *gay* foi muito comum pra vários povos... gregos, romanos, hititas etc. ... mas o que eu vou fazer é tentar te ajudar. Muita gente, por muito tempo, acreditava que a homossexualidade era uma doença mental... inclusive o amado e meio babaca Freud acreditava em algo do tipo. Não foi a primeira e nem a única vez que ele errou feio. Jung dizia que tinha muito a ver com a mãe, com ser psicologicamente imaturo... Oscar Wilde mandou um beleza pra ele. Como eu disse, existem vários tratamentos... desde, pasme, andar de bicicleta por muito tempo, ao mais interessante deles, pra mim, que era ser hipnotizado, beber pra caralho e ir comer puta, também com certa regularidade. Outros já tentaram castrar, injetar glândulas sexuais e até fazer com que vomitassem enquanto assistiam pornô *gay*. Sempre me perguntei se quem aplicava o vômito assistia também... um cara até ganhou o Nobel por fazer lobotomia e supostamente curar a homossexualidade. E aí você vê o nível do negócio... Nobel. Enfim, pra finalizar esse pequeno resumo, como a gente não tem glândulas pra injetar em você, nem como te fazer vomitar e eu não quero cortar seu pinto fora porque detesto sangue... vamos tentar o puteiro, o álcool e as sessões. E... como você crê... sua fé. O que acha?

— Eu acho que...

— Ah, ah, ah, desculpa... eu só vou dizer que você já pode ver de cara aí que eu não sou uma estudante muito tradicional... e vou usar e tentar métodos... novos.

— Faça o que tiver que fazer, Pietra.

Ela precisou ir embora, tinha um trabalho a finalizar. Começaríamos as sessões no dia seguinte, incluindo a bebida e o puteiro.

Não demorou muito para Teresa se aproximar. Falei:

— Não imaginei que seria uma mulher, minha psicóloga.

— E se eu trago um homem e você se apaixona por ele?

Fazia sentido.

— Ela parece meio louca. "Perfeita, pra mim" — a bibliotecária respondeu.

Fui para casa.

A cadeira ainda estava no chão. Chamei, ninguém respondeu. Pouco mais de seis da tarde. Fritei dois ovos e comi com pão e presunto. Meu irmão chegou. Não demoraria muito para Lucas tomar a atitude que eu estava prestes a tomar.

Assim que Mamãe pisou dentro de casa, lá pelas dez horas da noite, encharcada pela chuva que pegou todos de surpresa, ofereci, além de uma toalha, trégua, e avisei que uma notícia importante seria dada.

Sem aceitar a toalha branca, mandou-me dizer rapidamente que queria tomar um banho.

Não hesitei.

— Vou me mudar.

— Mudar do quê?

— De casa! Vou arranjar um lugar pra mim.

— E vai pagar como?

— Vou me virar.

— Quando?

— Daqui a três meses.

— Então por que tá me falando disso agora, moleque?

— Porque...

Deu as costas e foi pro banheiro. Lucas ouviu tudo da sala e veio me abraçar. Já era mais alto do que eu, cursava o último ano da escola e ali me contou que faria o mesmo assim que terminasse o colégio, mas não cometeria meu erro: avisaria algumas horas antes.

No outro dia, nada de pão ou café. A mesa estava limpa e Mamãe já havia saído: nem um presunto, nem um recado, nem um olhar de reprovação. Em vez de tristeza, uma pequena explosão de alegria nasceu dentro de mim. Acordei Lucas e fomos na padaria — por minha conta! Bauru, café e brigadeiro de dois reais; ele matou a escola e foi comigo para o centro. Encontrei Pietra e ele fez companhia para Teresa, com quem, anos depois, teria um caso. Lucas precisou trocar de celular, de rota de ônibus e de biblioteca, tamanha foi a perseguição de Teresa para com meu irmão. Ele diz, porém, que ela sobreviveu e casou tempos depois com um professor de universidade: relacionamento aberto, disse ela, quando transaram de novo, pouco antes de o meu irmão conhecer a atual esposa.

Pietra me mandou largar as coisas no balcão de Teresa. Iríamos sair; andamos três quadras e chegamos num bar *pé-sujo*; daqueles de piso vermelho, mesas perdidas, dispostas sem lógica alguma, cheiro acre e velhos bêbados; um deles botou a mão na cintura da estudante: "Corto teu pinto fora!", e ele se afastou, sentou no banco, pediu mais uma e debruçou no balcão, onde dormiu até irmos embora.

— Precisamos beber aqui? — perguntei.

— Ai ai ai, olha só, você monta na grana? Aqui você fica louco de graça, meu amor.

Um Velho Barreiro e tempo pra tomar a garrafa inteira: quarenta e cinco minutos. Avisei do meu estômago fraco, ela ignorou e, na metade do tempo, o velho foi bebido. Eu balançava as bochechas e expunha a língua, de olhos arregalados; lambi a boca de Pietra e fiz ela cheirar meu bafo; a vadia lambeu minha cara e esfregou os peitos no meu nariz, sentou no meu colo e perguntou como é que eu podia não ter tesão por ela, fui responder e a derrubei no chão, corri pro banheiro e vomitei tudo. Demorou mais pra sair do que pra entrar, maldito bauru que comi na padaria — só vi seus farelos.

Voltei pra mesa e Pietra bebia outra Velho Barreiro, riu da minha cara até cuspir álcool em mim:

— Olha, acabei fazendo você vomitar... só faltou o pornô. Quis voltar pra casa; ela proibiu, mandou-me ficar quietinho que era só o começo.

Eu a via bebendo, descontraída, livre de qualquer preceito. Ria como um macho alfa, sem perder a graciosidade: posso até dizer que quis comê-la porque Pietra era mais homem do que mulher.

De repente, quis impressionar, mas o único assunto que eu tinha em mente era a dor maldita que o Barreiro me causara.

— Calma que essa é a saideira, Thiago! Depois vemvemvem boceta!

— Como assim, porra?

— Puta.

— Não, não, ainda não...

— Puta. Gostosa, de boceta larga e peito mais chupado que sete belos.

— Você é lésbica...?

Ela urrou, entornando o último gole do velho.

— Eu sou tudo, Thiago, sou o que você quiser, meu amor, sou sua, toda sua e você ainda vai enfiar esse pinto santo em mim. Até deixo começar por trás, pra te lembrar os bofes... ha ha ha.

Saímos do bar e Pietra não sabia bem pra onde ir. Seu senso de direção não estava normal. A bebida começava a fazer efeito e ela tropeçava na calçada e esbarrava em postes e pessoas; apoiei-a em meus ombros e a estudante lambia e mordiscava meu pescoço; estávamos tão chapados que quis fodê-la ali mesmo... Quis fodê-la e ainda quero fodê-la, aquele corpo leve, esbranquiçado, os cabelos vermelhos, os peitos grandes e o rosto demoníaco, pecado puro, delícia pura... aquela bocetinha de pelos cacheados e ruivos... aquela bunda pura, leves batidas e sua pele entrava em sintonia com sua penugem, tudo avermelhado, o seu gemido regular, que crescia a cada penetrada, o bico de seu peito, clarinho, pequeno, mas aceso, tão fácil de chupar, tanto delírio ela tinha. Poesia o jeito que movia as pernas vindo de trás, subindo e descendo, tal qual uma onda nesse mar de sangue que era Pietra. O jeito que levava seus dedos, finos e compridos, até meus lábios e mandava-me calar; "quieto que o barulho é só meu por direito!", e eu ia negar? Ia dizer que não? Ia arfar igual o idiota que sou, respirar fundo pelo sedentarismo vadio? Botava meu som no mudo e deixava ela estourar em gozo; e quando erguia o tronco e tudo que eu via era seu quadril pra cima, os peitos redondos que cabiam perfeitamente em minhas mãos, mas longes, inalcançáveis, sempre a alguns centímetros do meu toque. Ela não se apoiava em nada, suas pernas pra trás, os braços pra cima, tocando os cabelos; Pietra sabia se amar, vadia gostosa, emaranhava aqueles fios vermelhos, ciente da hipnose que causavam, e gemia e gemia e gemia, e pulava e pulava e pulava, e ficava de quatro, de três, de duas, de uma; e dava uma, dava duas, dava três, dava até quatro ou cinco, dava o quanto eu aguentasse, dava até o fogo dos seus pelos terem fim e malditos sejam, não tinham fim jamais! Sempre em chamas, sempre em explosões,

Pietra não foi a primeira mulher que comi, porque ela simplesmente me devorou.

.

E os dias corriam desse modo: bar, sexo, culpa, tesão e casa. Lá pela segunda semana, então, perguntei quando eu comeria a puta.

Ela riu, balançou aqueles malditos cabelos e categorizou:

— Meu amor, a puta sou eu... ha ha ha!

Pietra era de classe média quase baixa, odiava seus pais, católicos fundamentalistas, do interior do estado, criaram-na pra ser freira. Viram que não ia rolar e botaram-na pra trabalhar na quitanda do avô. Não saía nem tinha amigos, vivia pra ler no quarto, jantar com a família e se masturbar à noite — batia siririca como ninguém. Todo dia depois da novela dava boa-noite, trancava a porta, apagava a luz e tirava a calcinha. Gostava de brincar com os pelos e acariciar a virilha, tocando os lábios aos poucos, sem pressa... tinha a noite inteira pela frente. Às vezes acendia a luz, adorava se ver se tocando; dava de cara pro espelho da parede e via não só o movimento de suas mãos, como o balançar da genitália. Via e adorava, achava belo o movimento, a maneira que conduzia os dedos e contorcia todo o corpo, ria de si mesma, gozando sozinha. Não se culpava nunca. Dedicava cada siririca aos pais e aos santos: "Jovenzinha rebelde", contou. Rebelde com causa, "ninguém nasceu pra viver trancafiado", acreditava. Terminou a escola sem dar um beijo ou pegar num pau. A escola acabou, passou no vestibular de psicologia. Nem esperou o ano letivo começar, partiu pra capital. Viveu seis meses à custa dos pais e depois tacou o *foda-se* e virou puta da faculdade: não dava por nota porque sempre ia bem; dava por dinheiro e só, pra pagar as contas e as luxúrias. Gostava do que fazia; faria de graça, mas já que pagavam... teve medo só de uma coisa, de perder o tesão, de enjoar de sexo. Quando revelou isso, sorriu e logo gargalhou, balançou os malditos cabelos e chacoalhou a cabeça. Até parece que cansaria de transar. Amava aquilo, amava o calor de um terceiro, a pressão da penetração e o toque de uma língua ou o toque de sua língua. Já deu pra adolescente, jovem, adulto e velho, o mais novo com catorze e o mais velho com setenta e cinco, um professor aposentado que pagou com a coleção completa de Freud. Vendeu toda a coleção por quinhentos reais e considerava esse seu programa mais caro.

Quando percebi que era devorado por uma puta, de graça, tive uma pequena inflação de ego:

— Você transa bem — me disse — sabe respeitar meu espaço. Gosto de homem assim.

— Todo *gay*... quase todo *gay* já se relacionou com mulheres. Veja bem, quando você se assume *gay*, um passo grande de liberdade é dado. Assim, para os próprios *gays*, aprisionar-se a homens e recusar a possibilidade de novas experiências não é muito atraente. Lógico, existem *gays* que só querem homens. Ainda assim, muitos já beijaram ou ficaram com uma menina. Entretanto, há *gays* que se apaixonam por homens, mas não negam sexo com mulher, porque já estão livres dessa classificação tradicional. Logo, não precisam se apegar a rótulos etc. etc. Você pode ser assim, Thiago, mesmo não se aceitando para todos ou até pra si mesmo, você busca nas mulheres uma fonte de prazer e amor, provavelmente aquilo que não teve de sua mãe. Você ama mulheres, mas não como ama homens. É um amor diferente, quase que para o âmbito da amizade. Entretanto, sai da amizade porque te ensinaram que com mulher se casa, ou transa, e não se é amigo. E você segue essa diretriz, por isso que você também se atrai por mulheres, mas sua essência, santo Thiago, é se apaixonar por homens: peludos e fedorentos! — e gargalhou, balançando aquele maldito cabelo.

Pietra falou isso em um de nossos últimos encontros, depois de eu tê-la fodido mais de cinquenta vezes. Sóbria e trabalhando, era outra pessoa, teria carreira, tenho certeza. Teria, não. Tem. É respeitada, já a vi em tv, internet e livrarias: publicou quatro obras, já li todas. Em uma delas, estou no oitavo capítulo: "Religião, homossexualidade e aceitação".

Ela descrevia nossa experiência, sempre muito direta e crua, tecia considerações sobre mim que escondera em nossos encontros, talvez até por não ter o conhecimento na época, considerações que eu não queria ter descoberto, algumas classificações que me diminuíam como homem. Mas isso era o preconceito falando, minha necessidade de ser encaixado na categoria macho alfa. Ela não estava errada, aliás, ela corroborava tudo o que escrevi nestas memórias, mas... ler isso de outra fonte, de outro ponto, destruiu-me por dias. Pensei em procurá-la, em conversar, sem ressentimento, apenas para lembrar os velhos tempos.

Fui a uma de suas tardes de autógrafos, comprei o livro novo e levei o velho, aberto no meu capítulo, ela assinou, balançou aqueles malditos cabelos e sussurrou em meu ouvido que ainda não havia encontrado homem tão gentil como eu.

O caso de Mamãe com um dos pastores

Viúvos, livres pela igreja: ela perdera o bêbado. Ele perdera sua mulher por câncer ainda na década de noventa, quando não era *pop*. Sempre foi um pastor de pouco brilho, palavras nada inspiradas. Recebia a alcunha de todo zero à esquerda: homem de retidão, íntegro nos braços do senhor, santo em todos seus caminhos.

Mamãe e eu éramos novos em sua igreja! Ele observou-nos à espreita, certo dia segurou a bíblia para ela ir ao banheiro; noutro, aproximou-se, impôs a mão sobre a cabeça de Mamãe e orou; noutro, pegou em suas mãos e profetizou o fim de todos os males, permaneceu focado em mim durante toda sua fala; noutro, levou-nos para casa, usando de desculpa uma suposta lanchonete nas redondezas; noutro, provou que a lanchonete não era suposta e nos levou até ela, sempre sorrindo, de lábios abertos, diferente do bêbado, que, quando sorria fazia-o de lábios fechados, rindo pra dentro, vendo graça onde ninguém via; noutro, nos buscou para o culto, sentou-se ao lado de Mamãe e nos trouxe de volta. Mamãe mandou eu sair do carro.

Da janela, vi risos que nunca vi nela; de repente, jogou sua cabeça para trás e para a frente. Muito pior do que um boquete, ela balançava para frente e para trás, abria e fechava a boca, de... alegria. Por mim, que chupasse o pau pequeno desse velho brocha, mas não gargalhar... descaracterizava minha mãe, nunca sorridente, pelos anos de vida que tive!

E assim Ezequiel entrou na minha vida, por curto período de tempo, verdade. Via-me com desconfiança e acreditei que existia um elo real entre ele e deus, porque ninguém farejava pecado sem motivo algum. Ou era pecador, ou caçador deles.

Apócrifo do homem morto: Jeremias, o profeta da destruição

Antes que me formasse no ventre, ele já me conhecia. Antes que escapulisse da mãe, me santificou e me deu por profeta às nações! Olhei nos olhos de deus, indescritíveis por natureza, incapaz de uma definição humana ou sobrenatural; de diferentes tons e talvez nem fossem seus olhos, mas sua alma ou espírito, ou simples sopro. Importa, porém, a presença e a divindade de Iahweh; de cara com seus fluidos, questionei:

— Aaah, senhor deus; mas sou criança, não formada, ainda *trupico* com as pernas e embaralho nas palavras, eis que não sei falar...

Os fluidos de deus circundaram meu corpo, dançaram entre meus braços e me levavam aos céus, mais e mais alto, a alma d'Ele me carregava e pude ver os reinos e as terras e os mares e os universos e de lá os olhos de deus se retesaram, mas eu não caí.

— Não digas que és um menino, não digas, não digas porque a todos a quem eu te mandares e tudo quanto te ordenar dizer, dirás, sem misericórdia ou medo: não temas! Eu sou o Senhor e contigo estou para te livrar!

E a alma de deus dançou por mim e tocou meus lábios e seus fluidos entraram pela minha boca, ao passo que o deus dizia: eis que ponho minhas palavras dentro de ti; e ponho-te, não temas!, sobre as nações, sobre os reinos, sobre os falsos e sobre as igrejas e de lá, ah, menino, de lá destruíras, derrubarás, arruinarás e arrancarás aqueles que apodrecem meu povo; e nas cinzas, quando pensarem não existir caminho, eis que você, menino Jeremias, edificará o meu percurso!

E me perguntou o que eu via: e não via, mas percorria em minha mente uma tristeza tão profunda, impossível de suportar, e clamei ao deus por ajuda e ele respondeu: a escuridão se alastra por todos os cantos, Jeremias, os falsos intérpretes, os mentirosos, se apoderam da minha palavra e a usam para seu próprio bem, de hoje ao fim dos tempos, Jeremias, e você os derrubará no agora, por hora, até que suas palavras sequem e outros falsos se aproveitem. Vá, pregue por mim!

Capítulo das prerrogativas quase inúteis #3: cadê a perfeição?

Senhor, vi-me em dilema há anos, quando tropecei e percebi que havia um problema religioso tão incômodo e separatista que, se notado, intensificaria os conflitos entre cristãos de diferentes igrejas.

A bíblia é perfeita e contém a absoluta verdade de deus. Ou seja: não há verdade divina fora dela, e não há mentira dentro. Assim. Uma verdade absoluta.

A bíblia é a transcrição exata do desejo d'Ele.

Senhor, venha cá, chegue mais perto e abra os ouvidos.

"Qual bíblia?"

A católica possui 73 livros.

A evangélica (uma das), 66.

"E agora, senhor, qual é a bíblia?"

Ambas não podem ser perfeitas.

Uma alegria e uma passagem

Bianca falava no celular sem conter a euforia.

— Pode deixar! Pode deixar, vou falar pra ele... ele vai amar, vai amar muito!... Certo, certo, ah sim, sim, pode deixar... acho que ele conseguirá ir, sim. Ama demais o lugar e um pouco de alegria nesta situação seria bom...

Ela desligou o telefone, virou-se para mim, abriu o sorriso e fechou os olhos.

— Você não vai acreditar!

Cético que estou, provavelmente não mesmo.

— Sua mãe... ai, Deus maravilhoso!!!! Que alegria!!! Sua mãe juntou as economias dela e comprou uma passagem pra você ir até a Colômbia!!!!

O namorado de Mamãe

Tocado pelo medo de morrer, revi as pontas destas memórias, e o caso de Mamãe pós-bêbado ainda não foi finalizado. E faço questão de o fazer, pra que fique bem exposto a mãe que tive: dois flagrantes fizeram de mim o rei do disfarce, por isso sustento até hoje a figura de bom pastor e ninguém sequer cogita minha condição. O primeiro, você já leu, senhor, o cuzinho de Mamãe; o segundo não envolvia nem Mamãe, nem cuzinho. Minto, não diretamente, já que as duas figuras mostraram-se vivas mais uma vez.

Limpei a igreja, como fazia quase todos os dias naquela época; vassoura entre os bancos, circundando o púlpito e desviando dos instrumentos, pano de chão úmido logo depois: vez ou outra um encardido maior, uma marca de terra vinda do terreno ao lado pela sola de um sapato qualquer. Também encontrava, vez ou outra, bíblias e até dinheiro. Sempre devolvi os livros. Quanto ao dinheiro, partia do princípio de que deus não avisara o fiel porque não quis, logo, vinha pra mim.

Naquela tarde, achei o equivalente a vinte reais. Pagaria a cartolina e outros objetos pra um trabalho de escola. Saí mais cedo da igreja, a fim de pegar uma papelaria aberta. Comprei e fui para casa deixar as sacolas e tomar um banho rápido, sem nenhum prolongamento...

Entrei em casa, e, do quarto de Mamãe, ouvi a tevê alta; mas ela estava no círculo de oração, numa campanha especial em prol da prosperidade dos fiéis. Crendo que poderia ser Lucas, abri a porta gritando que abaixasse o volume.

Vi um homem de rosto arredondado, alguns pelos mal rapados na pele. A testa tinha marcas de cansaço, como se a vincasse o tempo todo; em seus olhos vi, num primeiro relance, apenas o branco do globo ocular; a pupila estava jogada pra cima. Suor se formava na careca, escorria pelos vincos da testa e caía pelo nariz adunco, o pescoço encharcado em riste, queixo pra cima, em gozo; os ombros, finos como um palito, contrapunham a cara e a pança gorda, seu corpo não fora feito para tal peso, sua estrutura não suportava, por isso andava sempre encolhido, sem postura; nem terno lhe caía bem. As pernas abertas, joelhos dobrados, os dedos de seus pés se contorciam; no susto, pulou da cama, caindo lateralmente e espirrando esperma no chão. Havia gozado em plenitude: o êxtase e a vergonha. Dessa vez, êxtase curto, vergonha gigantesca. Sentia-se um verme; eu não precisava ser adivinho pra captar suas emoções, a maneira que se dobrou no chão, tentando esconder o pau, mas também a bunda, não havia dignidade e, quando percebeu, se levantou. Fiz questão de não sair do quarto, para humilhá-lo ainda mais; parecia em choque, e talvez eu devesse estar, por achar tudo cômico e depressivo... pobre Mamãe.

Ele desviou-se de mim e saiu do quarto; sequer desligou a televisão, que, quando olhei, enquadrava um belo de um enorme rabo sendo esticado. A câmera se aproximava e um cu estouradaço dava as caras, orgulhoso de seu tamanho, de sua elasticidade: impossível não pensar no de Mamãe.

Não desliguei a tevê, deixei lá, logo o filme se encerraria e abriria o menu; que Mamãe visse o homem que arranjara. Antes disso, apeguei-me à outra dúvida, teria ela dado para o camarada do pornô? Não perguntava por ciúme ou tentativa de defesa materna, mas pelo pecado que ela cometia, transando fora do casamento, com um homem conhecido há pouco. Dois fatores jogavam opostamente: ele na cama, nu, não estaria ali sem a intimidade desejada. Entretanto, ele, na cama, nu, vendo pornô sem trancar a porta, irresponsável em relação a mim e meu irmão, estaria ali pela cara de pau que era — e por ser um pobretão que nem VHS tinha. Nunca consegui uma resposta, talvez pergunte isso a ela. Acredito, entretanto, que Mamãe nunca tenha feito sexo com mais ninguém. Não tenho provas, apenas intuição, que não deve servir para nada, totalmente imparcial e beatificadora de mães.

Quando saí do banho, ela me esperava de chinelo na mão, bufando, indignada.

— Que absurdo é esse, menino?

Sorri de canto de lábio, crente que sairia por cima "vou explicar".

— Você não sabe que isso é pecado???

Ergueu o chinelo pra dar em mim, quando avisei que o vídeo era do seu namoradinho, que fugira sem me dar uma explicação sequer, ela não acreditou e persistiu no ataque, segurei sua mão e avisei-a da verdade: ignorou-me, passou pelos meus braços e acertou uma chinelada em minha costela. Desequilibrado pelo golpe, levei três ou quatro no mesmo lugar, mas logo me desvencilhei de seus braços, clamando por confiança, misericórdia, bom senso!!!!!

Revelou que o gordo careca foi até a igreja e contou que me pegou assistindo pornô em sua cama e que, ao abrir a porta... eu caí e... terminei... no chão. Horrorizada, ela pediu sigilo ao homem e correu até a casa, para ver se me pegava no flagra — porque ele disse que você nem se mexeu... ficou ali, olhando ele com olhos de... de... Satanás.

Pela primeira vez em toda a minha vida, xinguei, palavrões escabrosos, de mentiroso a filho de uma puta, falso! Falso! Falso profeta!

O punheteiro afirmou que não poderia mais se relacionar com Mamãe, ao menos até que o diabo se afastasse de nossa casa — e ela sofreu, mais uma vez, por não poder depender de alguém. Quis pedir desculpas, mas pelo quê? Por tê-lo flagrado? Visto o que nem eu queria ver? Ela nunca acreditaria... nunca acreditou...

Esperei a manhã, levantei cedo e tomei um banho longo, certo daquilo que faria. Fui à padaria, comprei pão, preparei o café e comi. Ela só acordou quando eu saía.

— Vai aonde?

— Resolver um problema.

— Vai arranjar outros, isso sim!!!

Andei algumas quadras até chegar àquela casa, encostei no portão e passei as mãos pelas hastes pontiagudas, em formato de bico de flecha. Triste seria uma criança, brincando, fincar o pescoço aqui. Perigoso, até. Mas ninguém parecia ligar. A luz da sala acendeu e entrei, despreocupado com o barulho do portãozinho enferrujado. Antes que chegasse à porta, ela se abriu; olhos semiabertos, lutando contra o sono, cheiro de velho podre e sujo, um samba-canção azul, desbotado, sem camisa, mostrando a enorme pança de pelos mal raspados. Tentou fechar a porta em minha cara, por instinto, chutei-a e o velho caiu. Não queria machucá-lo.

— Ooooo que você quer????

Comecei a rir; rir, rir, rir, de trás pra frente e de frente pra trás, ele pedia pelo sangue de Jesus, pela misericórdia do onipotente.

— Você sabe o que vai fazer, não sabe?

Ele negou com a cabeça, prestava-se apenas a murmurar religiosidades.

— Você vai ligar pra a minha mãe, dizer que não é bom o suficiente pra ela. Não precisa falar de mim, não. Vou carregar o teu pornô nas minhas costas. Mas ela não. Vai ligar e vai ser convincente.

Ainda caído, agachei-me em sua direção e apertei seu saco. Me diverti espremendo suas bolas. Não me entenda mal, senhor, nunca fui violento. Mas, o rosto daquele velho...

Enfim, naquela manhã, Mamãe recebeu o telefonema.

Não vou mentir: eu sabia que o caso do pornô me beneficiaria, por isso não mandei ele admitir a culpa. E, de fato, funcionou. Mamãe nunca mais me acusou de ser *gay*. De vez em quando, ainda jogava na cara, mas parecia aliviada, afinal, se eu via mulheres transando é porque não gostava de homem.

De sua mulher, ontem bibi, hoje bianca

Fui uma criança feliz, meu amor. Tive uma vida dura, nada fácil, tudo foi muito pesado e muito cedo pra mim... Hoje, um dia antes do nosso casamento, mal consigo acreditar onde cheguei, como cheguei até aqui... e usarei esta carta para lhe contar tudo o que ainda me aflige, suplicando seu perdão e te dando, ainda, tempo para não se casar, caso seja o que irá desejar.

Comecei neste mundo aos catorze anos de idade, em casa faltava água, leite, arroz e feijão. Seis irmãos, um pai que bebia muito e uma mãe da umbanda, que aceitava tudo... dos nove de nós, sou a única viva. A única de que tenho notícia, pelo menos. Nunca mais falei com meus irmãos, a última vez já tem mais de cinco anos.

Meu primeiro cliente foi um caminhoneiro, assim como teu pai. Ele costumava levar crianças para a cabine quando estava em viagens muito longas; "saudade da minha mulher", lembro que ele falou quando terminamos. Foi o primeiro porque o dono do bar onde papai devia dinheiro não me quis. Duas semanas mais tarde, outro homem da estrada me alugava por três semanas, cruzaria o Brasil pra levar uma carga e queria uma moça que cozinhasse e lhe desse prazer. O pagamento foi vinte e cinco quilos de arroz, cinco latas de óleo, dez quilos de feijão e um colchão velho. Papai teria me alugado por menos, bem sei. Nas contas da matemática, o resultado é simples: além de ganhar o produto, ele deixava de precisar alimentar outra boca. Foi minha primeira viagem; juro pro teu sagrado coração, que no começo não sofri tanto. Cresci afastada do mundo, de atividade tinha lavar, passar e cuidar das crianças. Relação sexual, pra criança que eu era, não soava tão cruel... via como uma necessidade do macho, de se desfazer em deleite, após o árduo trabalho que teve no dia a dia. Absurdo, hoje sei. Muito dessa minha ideia, acho, vem de ver papai agarrando os cabelos da mãe e levando-a pro quarto, de porta mal encostada, enquanto gritava lá dentro. Mamãe saía rápido, minutos depois, voltava pro que fazia. Máximo que tinha, um pingo de suor na testa ou uma vermelhidão no braço esquerdo. O cabelo crespo, sempre armado, permanecia estático, no lugar de sempre: fora do lugar. Se ainda viva, mãe faria progressiva, tanto que odiava aqueles cabelos escuros crespos, vindos do seu pai, um negão maior que o armário de casa. Você sabe que sofri, mas eu só soube o quanto sofria enquanto descobria o que era a vida. Naquela viagem conheci quatro estados, passei três horas escondidas numa caixa dentro da cabine do caminhão, pra polícia não me ver: e que não fizesse um piu, se tentasse algo ia me dar mal. Jamais tentaria... sempre achei que homem vive pra acobertar homem; polícia ia deixar a mão molhar e eu ia embora com meu caminhoneiro: filha dele, sorrisos amarelos, arruma o boné, passa a mão na arma e depois guarda a nota no bolso. É boa essa vida de fardado. Pra quantos dos *homi* já paguei com trabalho mal sei dizer, "tá enquadrada! Mão na cabeça!". Apalpavam de tudo; vistoria, vistoria, vistoria, visto e desvisto, abaixo a braguilha da calça, ergo o vestido ou abro a boca, depende do tom do polícia... perdão, meu amor...

Relação sexual era tão comum pra mim que sequer minha beleza eu notava; olhava minhas curvas no espelho sem notar que eram curvas, faziam-se apenas de apoio pras mãos daquele que me pagava; e eu não tocava no dinheiro como se fosse sujo, todo dinheiro é sujo, já dizia minha primeira e única cafetina: Paula do Brejo, mulher de uma sabedoria inalcançável. Aos dezesseis anos fugi de casa; papai se sustentava pelo meu exercício e comprava suas bebidas. Aproveitei o enterro do Juan, segundo filho de minha mãe, mais velho depois de mim, pra ajeitar minhas trouxas e sair de casa. Enquanto via seu caixão baixando, doze tiros na cabeça — pra quê doze? Pra quê um? — via qual seria meu fim, uma vala numa cidadezinha de fronteira, ou o banheiro de um posto de gasolina desse Brasil tão grande. Na verdade, não fugi... não fugi porque disse adeus; fuga é fuga quando ninguém sabe, e eles sabiam de minha ida... Na verdade foi fuga, sim, dei adeus na esperança de fugir daquele lugar, não da profissão. Eu sabia que era a única coisa que poderia fazer para o resto da vida, a única coisa que eu sabia fazer. Mãe, num mar de lágrimas, gritava que perdera dois filhos de uma vez e que não suportaria perder mais ninguém; tanto não suportaria que logo que perdeu mais um, a caçula Marilene, se retirou da vida, deixando ainda três deserdeiros e um marido falido, que não duraria um piscar de olhos sem a matriarca. Quando dei tchau, papai grudou em meus pés, suplicando que ficasse, pelo menos mais um tempo, — darei um jeito na minha vida... vou voltar pro serviço — décima vez que mentia sobre trabalhar, dezesseis anos e eu já me via como uma experiente de guerra e de mentiras, rodada nessa vida que deus talhou de olhos fechados e ouvidos surdos. De carona em carona, pagando mais do que o dinheiro poderia comprar, cheguei aos pés da Paula do Brejo, que passou o dedo indicador pelo meu órgão e botou na narina, cheirando o mais fundo que pudesse... — limpinha... quase cheirosa... — chupou o próprio dedo — gostosa, até... vai pro dr. Carlos amanhã e faz o que ele mandar. Trabalha quando eu deixar, até lá, vai limpando a casa, trocando lençol e aprendendo cas meninas. — Paula do Brejo era loira de farmácia, sua barriga sobressaía aos *shorts jeans* que usava, o colar de pérola era a única coisa genuinamente de cor uniforme em meio à pele cheia de pintas e varizes de Paulão, como também era conhecida, cheirava a tudo o que eu já conhecia e por isso me acolhi tão bem em sua casa, onde passei anos e anos.

Nunca tive nojo do que eu fiz. Não até a noite em que você me acolheu, meu amor; antes de lá, vivi como qualquer um vive, eu achava, pelo menos. Relação era só relação, não conhecia nem deus, nem vida sem sexo como pagamento. Era como se tudo acumulasse em minha cabeça, o peso de um universo, o peso de um ser celestial a quem eu nunca conheci. Já disse, mamãe era umbandista, mas só pra ela; o peso em meus ombros chegou como quem pisca e vê a morte. Há pouco, não era; agora, já é. Nunca carreguei a menor das cruzes que fosse, até que aquela noite desmoronei como a montanha de gelo que vimos naquele filme que você gosta. Simplesmente fui; e carreguei todo o medo de uma vida maldita, de uma família morta e de uma profissão fodida, com perdão, meu amor, da palavra. O peso me devastou e andei pelas ruas como não fazia há muito... já tinha me deitado com um cliente, pagara bem, fora gentil, trouxe-me um pequeno presente, uma caixa de bombons, e passou mais tempo conversando do que em cima de mim. Não sei, de fato, o que motivou minha queda aquela noite.

Digo, hoje sei, mas enquanto arrastava os pés naquele asfalto tão esburacado quanto eu, vi-me perdida num mundo tão grande, tão imenso... e sua voz, do altar, ecoou como a voz do Todo-Poderoso. Não me esqueço até hoje das tuas palavras tão belas: "Quem busca a salvação? Quem aqui, irmãos, busca se encontrar na vida e no espírito?".

...

Quem não busca?

Não foi uma luz azulada, ou um senhor profético que me guiou até o teu altar, pra abraçar teu corpo e chorar em teu ombro e depois ir a tua casa, mostrar-me nua e ser rejeitada pela graça de Deus e salva pela proteção de Jesus Cristo!

Foi unicamente a tua voz, a voz de todos os mares, a voz que não consegui ouvir durante toda a vida, a voz que me apareceu quando mais precisei, quando, em meio a trapos, eu tentava juntar o que restava de uma prostituta mirim, foi tua voz que ressoou no meu ouvido e agarrou-me sem chances de escape, agarrou-me como quem nunca mais deixará fugir. E hoje, ah, hoje tua voz é a voz de todos os ventos, o canto de todas as sereias, hoje os teus olhos são o meu guia e as tuas mãos o meu suporte, hoje teus braços são meu porto e tuas pernas minha salvação, teus cabelos meu afago e tua boca meu afogamento, hoje tua testa vincada é minha resposta de vida, teu sorriso aberto é meu encanto, tua cabeça cabisbaixa, não pela tristeza, pela prece, é meu norte, meu gênesis, meu princípio e meu fim, tua palavra é o fogo que aquece o calor da minha alma e teu amor, teu amor é como o vislumbrar da vida que eu jamais teria.

Não me enojo do que fiz, não finjo esquecer meu trajeto de vida. Me arrependo, porque sou uma boa cristã, mas lembro todos os homens com quem deitei, as mulheres também, todas as camas em que dormi e todos os olhos que encarei, recordo de tudo... Mostra-me o quão grata ao Senhor devo ser, amor da minha vida, a quem serei, a partir de amanhã em nosso casamento, eternamente submissa, entregue e devota.

Davi veio me visitar

E eis que veio com as nuvens e todos os meus olhos viram, até mesmo aquele que nada enxerga, e todas minhas forças se lamentaram. Maldito. Vestido até os pés de uma roupa comprida, sobretudo que adorava usar, cingia no peito uma cruz de ouro. Sua cabeça e cabelos ganharam fios brancos como a neve, mas os olhos, os atemorizantes olhos, eram como chamas de fogo; aos seus pés um sapato reluzente, lustrado, como se tivesse sido engraxado há pouco, e a sua voz era uma cachoeira, a voz de muitas águas. E o seu rosto, como o sol, tão claro e forte; impossível olhar por muito tempo. E da sua boca saía uma espada em formato de palavras, que cortavam e recortavam o meu eu. À sua direita, minha estrela, bianca.

Quando o vi, quase caí aos seus pés, morto. "Não temas, pastor", e com suas palavras me fiz vivo, renascido das cinzas, como João que encontrou o messias em seu retorno à Terra. O meu messias. O meu renegado messias. E escreverei tudo, tudo o que vi, tudo o que ouvi, tudo o que aconteceu em meu particular apocalipse.

Levantei da cama e sentei no sofá, ele na outra poltrona; bianca pediu licença, via-nos como mestre e aprendiz, e imaginou que teríamos muito a conversar.

— Foi por isso, então? — ele perguntou, cabisbaixo, coçando as mãos. Parecia arrependido pelo que fizera quando o dispensei. — bianca não me falou, o que é? O que você tem?

Permaneci em silêncio.

— Você pode, por favor, ir embora? Bianca vai explicar tudo. Eu... eu não quero mais olhar em seu rosto.

Pego de surpresa, fixou seu olhar em meus olhos, balançou negativamente a cabeça — não entendia minha reação.

— Eu sei que errei, peço perdão... deveria ter sido mais calmo, eu sei!!! Mas você tem que me contar, pelo amor...

— Não fale em deus pra mim! — interrompi. Davi comprimiu os lábios, desgostoso com minha fala.

— Pelo amor que temos... ou tivemos, não sei.

Pegou-me desprevenido; amor não fazia parte da minha rotina... não esse amor, visceral, acima do que o coração pode entender, não esse amor entre machos! Mantive-me aqui relembrando e relatando as minhas memórias, o passado, as paixões que já vivi, os pecados que cometi. Nada no presente; não no presente! Não neste hospital, não na frente da imagem do crucificado, não dessa maneira!

— Davi... meu pequeno Davi... quando eu disser o que tenho, você nunca mais olhará pra mim. Eu... eu quero preservar o que tivemos. Saia daqui, fale com bianca e nunca mais me encontre, mas não obrigue que a responsabilidade seja minha... Já não tenho tantas forças.

Dei-me conta de que em momento algum me preocupei com Davi, com o vírus que andava e se reproduzia por seu corpo, invadindo e possivelmente o matando. Como ele saberia? Como ele reagiria? Eu sequer tive o trabalho de lhe contar a verdade, de lhe induzir ao tratamento... de tentar salvar sua vida.

Fui egoísta em todos os sentidos e pagaria por isso. Não morreria só eu, morreria Davi. Pobre... não fazia ideia do Golias que teria que derrubar: a AIDS e a opinião pública. O que diriam os jornais sobre um deputado federal recém-eleito com o vírus HIV? Um deputado, ainda, que surpreendeu nas urnas? O candidato original morrera meses antes, então eles forjaram uma declaração do morto para Davi e assim, e com o dinheiro, ele venceu.

— Você... não, não, não!!!! Eu!! NÃO! Você, não nãonãonão! — por alguns minutos Davi voltara a ser o homem que enterrara sua mãe anos atrás, perdido diante da imensidão e da casualidade do mundo, entregue ao desespero. Desta vez, porém, ele não tinha amparo. Nem meu, nem de deus. Como essa bicha suplicaria ao senhor? Com que cara de pau? E com qual orgulho se encostaria no meu ombro para chorar?

Este era o meu fim e o de Davi. Não um fim entre nós, mas o fim de nós: individualmente.

Talvez ele ainda tenha chance, consiga durar mais tempo; de qualquer modo, seu fim, profissional e pessoal — não aceitariam um deputado aidético e sem esposa. A carreira política despencaria, seu eleitorado formado exclusivamente por evangélicos em busca do direito de tirar o direito dos outros seria desintegrado.

Eu me calei... não sei em quem doía mais: nele ou em mim.

Meus filhos... minha esposa... minha mãe... minha igreja...

Ele tinha só ele, sem mãe, sem pai, sem esposa, sem filhos, sem igreja, sem pastor.

A primeira vez de Davi

— Perdão, pastor... perdão... eu, não sei, não sei o que deu em mim, não sei... eu nunca fiz isso, nunca tive um... um... ho... — Beijando-o, fiz ele ficar em silêncio.

Odeio Davi, com todas as minhas forças, por ter me abandonado duas vezes, virado as costas e partido. Odeio Davi por ter matado sua mãe e aparecer arrependido, odeio Davi por ter escolhido a conversão, odeio Davi por ter ido procurar minha ajuda. Odeio Davi, o escolhido entre tantos, pastoreava suas ovelhas quando Samuel o escolheu, pastoreava suas ovelhas quando Golias abateu, Davi, tão menino, tão homem, rei dos pecados e do perdão; ah meu Davi... tanto pecado, e tão pouco perdão.

Davi roubara a igreja e fora expulso dela, meses antes da eleição para deputado federal. Não tinha mais o apoio da congregação e de suas filiais. Naquelas cartadas do destino, deus ou o diabo, presenteou o arrombado com um grande patrocinador evangélico de outra igreja, que viu nele um rosto bonito, jovem e aberto às possibilidades. Uma conjuntura de sorte.

Quando nos separamos, foi até minha casa para contar que havia encontrado um novo patrocinador e iria concorrer do mesmo jeito. Havia nascido para ser político... não contou e brigamos, quando ele acusou Cristo de enfiar sua pesada cruz em meu ânus.

Toda vez que o vi militando na tevê, quis chamar a imprensa e revelar nosso caso. Entretanto, não há mais pressa... deixarei que suba ao máximo, ao topo, e, quando lá no alto estiver, morrerei. Ele vai chorar, espernear, perder o amor de sua vida, mas gritará ainda mais caso este diário se torne público. Se eu não estivesse morto, compraria ingressos para ver sua derrocada.

— Isso é um segredo da gente, não é, pastor?

— É lógico que sim, meu anjo... deita, deixa que eu cuido de tudo.

— Eu... eu não sou seu primeiro?

— Deixa que eu cuido de tudo, meu anjo, deita...

— E bianca, bianca não pode aparecer?

— Todos foram pro encontro da igreja, a porta está trancada, nosso carro não está aqui. Nem que alguém passasse na rua saberia que estamos nessa casa.

— E... e... como a gente vai explicar a demora?

— O trânsito, é lógico, meu anjo. Faça silêncio agora... sinta o jeito que te toco.

Quando transamos pela primeira vez, Davi estava em casa há pouco mais de três semanas. Vinte e um dias foram o suficiente pra descobrir que ele era meu. Talvez logo nos primeiros segundos eu já soubesse: o empenho em ajudar sua mãe não era natural para mim. Esgotei todas as minhas forças orando ao seu lado; havia algo naquele homem que me mantinha por perto, afagando suas dores, prometendo dias melhores... e os dias melhores vieram. Para ele.

Por pouco tempo...

Agora vem a AIDS, a repercussão, o caso, as suposições, tudo abalará sua imagem. Tudo destronará o rei Davi, que será perseguido por aquele que tanto adulou, terá de fugir, se esconder na moita, onde não terá ninguém e, sozinho, passará fome e frio.

Por três meses não fui evangélico

Avisei Mamãe que não voltaria; ela afirmou que Jesus me traria de volta. "Vadia", lembro de ter pensado naquela tarde. Por volta de dezoito anos, a igreja causava certas náuseas, não respondia o que eu questionava e questionava o que eu respondia.

Essa minha fuga foi diferente da fuga para a cura evangélica; daquela vez eu tinha um objetivo. Aqui, porém, vi-me totalmente desvencilhado de crença ou religião; passageiro, sim. Mas intenso. Não fiz sexo, não beijei ninguém, fui do mundo, abri-me para ele e ele se abriu para mim. Festei, bebi, dormi na rua e viajei de favor. Quando tinha fome, usava os trocos economizados ou pedia para uma bondosa alma na rua. Usava do meu discurso evangélico inflamado; a figura de Jesus intimida; a menção de seu nome recorda o fiel da existência de algo superior. Uma vez, porém, retrucaram, crentes de que minha súplica era falaciosa e exclusivamente apelativa:

— Quem é Jesus?

Grunhi... eu poderia responder tantas coisas. Poderia até dizer que sou eu mesmo.

— Qual teu nome, rapaz? — ele perguntou.

— Pedro.

— Responda, Pedro, quem foi Jesus?

— O maior homem que pisou na Terra, e veja bem, se de fato pisou ou não, pouco importa, porque dividiu o tempo, sendo real ou sendo lenda, fundou uma crença de milhões, desafiou o regime autoritário da época e disseminou uma palavra até então quase inédita, a do amor. Você me pergunta quem é Jesus, mas eu prefiro: o que é Jesus? Um ser de força tão suprema que nasceu sabendo quando, como e porque morreria e ainda assim viveu mais do que qualquer humano.

Eu poderia falar muito mais, porém, o homem colocou dez reais nas minhas mãos e saiu, possivelmente satisfeito. Não usei aquele dinheiro até que voltasse à minha igreja e doasse como oferta: não pertencia a mim, pertencia a Jesus.

Mamãe me cuidava de longe e, quando fui até ela, ganhei primeiro um tapa, bem dado, colocado com perfeição na bochecha esquerda.

— Glória a Deus! — disse, antes de me abraçar e receber o filho nada pródigo.

O que é Deus?

Perguntou a tia que cuidava das crianças na hora do culto.

Mariana disse: "o amigo invisível do meu pai".

Tiago (cantando um hino da igreja) respondeu: "o Senhor do universo".

Ana Milena respondeu: "é o amor com cabelo grande e poderes".

João falou: "homem que ajuda meu pai porque ele sempre agradece ele".

Carolina acrescentou: "o homem que deu o carro do meu pai pro meu pai".

Daniel também disse: "o homem onde minha mãe tá do lado dele".

Lara disse: "não sei (*tenta...*) o dono do céu que cuida das estrelas".

Eu respondi: "Todo-Poderoso".

O amante que mostrou o mundo sem religião e sem ele

Para Erik tudo tem um fim; ele não queria mais me ver, envolvera--se demais com um pastor. Mas não apenas por isso, envolvera-se demais com um homem casado [ele descobriu que minha esposa não tinha falecido], e o resultado não seria dos melhores.

— Te mostrei o meu mundo... mas nunca poderei conhecer o seu, e isso dói... dói demais. Espero apenas que você esteja se aceitando e um dia, quem sabe, bata na minha porta pra comer um salmão defumado e o que mais tiver vontade. Hoje, porém, agora, não podemos... sua mulher deve ser linda e dedicada, eu sou um *stripper* que vive muito bem e faz tudo o que quer. Não me entenda mal, eu casaria com você, mas não vou casar nunca... então... se você ainda quiser transar hoje, uma transa de despedida...

Lógico que quis, e foi tão intenso quanto a primeira vez. Ainda não me acostumara com o corpo perfeito daquele homem, que tinha ganhado permissão divina para fazer tudo o que desejava, desde ser veado 24 horas a abrir as pernas em 180 graus de ponta--cabeça. Homem de talento.

No fundo, sabia que nossa relação não duraria. Tinha data de validade urgente e por isso nos ingerimos enquanto ainda havia tempo. Eu era o perdedor, abriria mão dos privilégios, de uma mãe carinhosa, gentil e compreensiva e de um parceiro não apenas lindo, mas digno, como num romance romântico moderno, tão moderno que ainda não fora escrito. E, por ser vida real, o fim era óbvio, premeditado, tão natural quanto nascer, crescer, dar o cu e morrer.

Se tenho um lamento é o de não ter aprendido nada com eles, apenas fingido, jogado essa memória para um canto do meu cérebro e ter permanecido com ela lá, intacta, sem revisitação, sem análise, sem tentativa de nutrir algo. Talvez, se tivesse refletido mais, estaria em outro lugar.

Quarta parte

E em tua rocha edificarei meu pecado

Pietra, você...

Malditos cabelos de fogo; chacoalha-os.

— Tenha piedade, mulher, estou na cama e não posso te tocar.

Tem um velho barreiro na mão e eu rio de sua piada antiga, ameaço vomitar; ela se assusta. Esconde os peitos, sem decote, respeita o hospital, passo a mão neles, ela agarra minha mão, diz que agora é casada e espreme seus peitos contra mim.

— Encontrou mais gentil do que eu?

— Já era hora — ela disse.

— Por que veio me ver? Pior, a cada dia que passa... nem sei quanto já passou, pra te dizer a verdade. Eu sempre te disse a verdade. Estou escrevendo um livro, você é a única a quem contei... talvez um dia você me ajude a publicar. Modo de falar, óbvio, publicação póstuma, deixo até colocar teu nome na capa, só me garanta que vai fazer das minhas anotações um livro decente. Já pensei até na capa, uma igreja em pedaços e só a cruz de Cristo em pé... parecida com aquela foto do terremoto no Haiti. Sabe qual estou falando? Todo mundo viu, você também... como me achou aqui? Até onde sei, você não sabe meu verdadeiro nome.

Deus, ela categoriza e balança aqueles malditos..., ah, deixa pra lá. Você já sabe, senhor.

— Que seja, pra quem tá no inferno, um pequeno milagre não precisa de explicação. Senta mais perto, gosto do teu cheiro, sempre gostei, desculpa minha desinibição, vê meu estado, não resta muita coisa, essa maldita doença corrói tudo. Sabia que eu já tinha perdido quase quinze quilos antes de descobrir? Eu e bianca achávamos que era por causa do trabalho e das gripes que eu estava tendo... na verdade, tudo era por causa do vírus... eu sei, não devia rir, mas é muito cômica nossa ingenuidade. Como é aquela frase?

— Seria cômico se não fosse trágico?

— Prefiro outra... seria cômico se não fosse comigo.

— Fiquei muito abalada quando soube o que aconteceu com você.

— E o que aconteceu com Teresa? Onde ela tá?

— Teresa se foi... partiu há muito tempo.

— Morreu de quê?

— Não, não, Teresa foi embora pra Portugal, um curso que sonhava fazer, amou, ficou por lá mesmo, separou do marido... foi ser feliz...

— Se fosse fácil assim.

— Não é, a gente sabe...

— A gente não sabe, não... mas, sabe de uma coisa, Pietra, não faz tempo, estive a pensar em algumas histórias da minha vida, numa recapitulação de tudo o que fiz. Essas memórias, mesmo, forçaram-me a lembrar de muita coisa, reviver tantas outras... às vezes até acho que pego pesado comigo mesmo, que exagero no jeito que escrevo, que xingo e maltrato o senhor por pura rebeldia, por puro choque gratuito, um apelo estético, mas uma boa leitora como você vai saber interpretar tudo isso, todas as minhas motivações. De todo modo, o que recapitulei, quando contei aqui sua história, foi exclusivamente que conheci o demônio, meio transfigurado, é certo, mas o demônio... não de chifres, ou rabo, ou pele vermelha, digo, de vermelho, malditos, tinha muito, mas não como uma figura animalesca, ou ainda antropozoomórfica, era humana mesmo e palpável, o diabo tem por fama ser mentiroso, enganador, ludibriador, de utilizar o outro para seus propósitos egoístas, arrastá-los ao pecado. Pietra, depois de transar contigo, a mulher-homem, como poderia parar? Você sabe onde quero chegar, não direi com todas as palavras, mas esse fardo também é teu, você me enganou para o seu próprio bem e estudo e carência também, acha que sou bobo? Minha maca também é tua...

— Eu sou teu diabo?

Ela levantou da cadeira e começou a se despir, tentei contê-la, mas meus braços, finos, já não tinham força; tirou primeiro a camisa preta que usava, desabotoando botão por botão, cúmplice do meu desespero, ao abrir todos, não tirou a camisa. Abriu o zíper lateral da saia branca que vestia e deixou que caísse ao chão, calcinha branca comum, longe da transgressão de anos atrás; só então tirou a camisa, desabotoou o sutiã e pude ver os belos, claros e saltados bicos de seus peitos, a barriga, ainda magra como quando jovem, encarou-me e abaixou a calcinha, não estava depilada, cabelo de fogo entre as pernas, subiu em mim e balançou-os, ambos os malditos cabelos que tinha à mostra e ria com uma poderosa gargalhada que não era dela, não, não da Pietra que conheci; esfregava seus lábios pela minha boca, cheirosos, delicados, deitou suas costas sobre meu corpo, a cabeça nos meus pés e abriu as pernas, em minha boca, num sessenta e nove invertido, onde só ela ganhava.

— Eu sou teu diabo, sim.

Polução lunar.

A mãe do amante gay que me abandonara

— Nunca me esqueci de você — ela disse, antes de pedir um *cappuccino*. Convidara-me para um café. Sabia que um pastor tinha muitas tarefas, mas pedira-me pra tratar-lhe como uma ovelha, que necessitava de cuidados. Intriguei-me, que poderia eu ajudar uma mulher tão sábia, grande, livre de amarras?

— Como vai o Erik? — perguntei, antes de tudo.

— Ah... o Erik, tão homem, tão decidido, tão forte, minha rocha aquele menino, tanto sofreu e tanto superou, Eliseu... posso te chamar de Eli, Eliseu é tão formal? Você me parece um pouco pasmo, Eli... parece não acreditar muito no que eu digo, você acha que Erik não sofreu?

— Perdão, Marina, mas eu sei o que é sofrer pela minha condição...

— Ah, querido, não estou dizendo que não saiba, mas seu sofrimento é diferente, é todo dentro de si, até acredito que seja maior, por toda sua vida e religiosidade, mas Erik não sofreu apenas ao se aceitar, sofreu ao se revelar. Perdemos toda nossa família, querido Eli, triunfantes católicos, perdemos todos... perdi meu marido, te conto com detalhes, se tiver tempo, mas só digo que não ponha sua dor como a maior do mundo. Cada dor é cada dor e meu pequeno Erik sofreu como você e sofreu fisicamente, quatro vezes, Eli. Quatro vezes ele chegou à noite com cortes no rosto e roxos nos olhos; em duas delas tão feio que só por um milagre acredito que conseguiu chegar em casa... a última dessas vezes foi um cliente quem lhe bateu. Erik o reconheceu, da sessão privada que ele faz, quando os dois ligam a câmera, e o homem achou ruim. Esperou meu Erik sair do bar e surrou-o tanto que a última lembrança do meu Erik foi ver que seu agressor... chorava, tinha os olhos cheios de lágrimas, pobre homem, pobre homem, imagine a confusão e a consciência desse ser... não é fácil pra ninguém, Eli...

Naquela conversa, Marina mostrou-me um universo que eu nunca havia parado para pensar: fato, eu doía e me destruía por toda uma vida; mas toda a destruição era minha, e toda a dor, causada por mim. Nunca fui agredido, hostilizado, humilhado, nunca levei um soco ou um chute, nunca chamaram-me de bicha, veado, aberração, não enquanto olhavam nos meus olhos, não diretamente a mim.

— Meu pequeno Erik sempre foi muito corajoso; aos dezesseis anos assumiu que era *gay*, num natal de família. Passaram-se e ainda dizem que ele quis chamar atenção: por Deus, quem quer admitir, em plena família tradicional católica, ser *gay*? Ainda mais no aniversário d'Ele... Erik era um menino, seria o melhor dia, todos juntos, sem chance de a fofoca se espalhar, de ele precisar se explicar a todos, um tiro só, planejando um golpe rápido... ingênuo, ele foi... muito... o golpe foi lento, doloroso, meu marido não aceitava o filho *gay*, pus-me ao lado daquele que criei e fui rechaçada por todos, Eli. Ninguém estendeu a mão, nem minha sogra, nem minhas cunhadas, eu não tenho irmãs e meus pais já eram falecidos. A única coisa que tinha, pela graça, era uma boa herança. Não posso culpar meu filho pelo fim do casamento, já se arrastava há tempos, mas, foi sim, o estopim de tudo. Nos separamos e me mudei pra onde meus pais moravam, a casa que você conhece. Desde então, acredite, nunca mais troquei uma palavra com meu marido. Nunca. Nem lembro de sua voz, pra ser sincera, nada nada nada, nem um telefonema... uma visita rápida. Erik visitou-o uma vez, depois de uma cirurgia, pra retirar um tumor... foi ignorado, deixado de canto, nem um sorriso, abraço, nada. Ele sofreu. Ainda sofre, um pouco, mas sofre. Idolatrava o pai, tinham um camarote no estádio do time, iam a todos os jogos, estagiava no escritório do pai, catorze anos, inteligente, dedicado... hoje ganha dinheiro do jeito que ganha, mas queria mesmo é ser diretor de teatro, quem sabe um dia...

— E onde a senhora precisa de cuidados?

Ela arfou.

— Eu sinto que estou partindo... morrendo. Não, não faça essa cara, está tudo bem... não é esse o problema, não mesmo, querido Eli... o pecado é que eu os odeio. Odeio toda aquela família. Não, querido, não odeio como alguém odeia o cheiro do cigarro, odeio como quem deseja a morte, como quem pede por sangue, odeio a ponto de não ter visitado meu marido no hospital porque sei que iria rir dele, odeio todas as suas irmãs, seus pais e suas vidas, odeio o escritório que têm, odeio o estádio e o time de futebol, odeio o que fizeram com meu filho, queria fazer pior com todos eles, um por um, querido Eli, dar-lhes o sabor que deram ao meu Erik, humilhá-los como humilharam a nós, abandoná-los como nos abandonaram... eu queria, mesmo, vingar, como em *O segredo de seus olhos*, prendê-los, para sempre. Não desejo a morte, eu errei, desejo pior, desejo que apodreçam e não possam morrer e nem viver, que existam num limbo que, por muito tempo, eu frequentei... esse é meu pecado, querido Eli, meu fardo, minha cruz.

Depois daquele café, nunca mais vi Marina, nunca mais vi Erik. Não faço ideia de como anda a vida deles ou a vida daqueles que ela queria destruir; fui pego de surpresa, certo de que as pessoas são mais do que os primeiros olhos mostram, é a contradição humana, senhor, a eterna e visceral contradição humana...

Alta

— Provisório... pra que você saia daqui um pouco. Vai ter que voltar pra ser examinado e possivelmente pra internação — Falava o médico; queria que calasse a boca e me liberasse logo.

Bianca ajudou-me a chegar ao banheiro; meu estado não era dos melhores, mas a emoção também prejudicara momentaneamente meu andar. De cara com o espelho, acredito que pela primeira vez reparei o quão mudado estava... era eu? O pastor?

Magro, cabelos compridos, não me encontrei facilmente; o rosto dantes límpido, convidativo, transformou-se em pele caída, quase que despencando, diziam ser efeito colateral dos antirretrovirais que precisava tomar, e meu rosto parecia levar quem fui... nestas memórias já não traço o "eu", mas me multifaceto em filho, em escritor, em *gay*, em pastor. Olho no espelho e vejo o reflexo não apenas do meu exterior no vidro, vejo o que carrego dentro de mim no corpo fora de mim, na cara, na pele denegrida, destruída; estou degenerado! Por dentro e por fora! O homem que transava, que suportava duas, três, quatro fodas de uma vez, o *gay* que ficava de pau duro, o depravado que guardava em si toda a perversão que continha e a jorrava no sexo, o pastor que manejava tão bem seu cajado, hoje mal maneja as próprias pernas, desamparado pelo senhor, segura nos braços de quem consegue e tenta vergonhosamente completar o percurso entre a cama e a privada. Uma ferida nascia em meu rosto, deteriorando-me como um buraco que engolia tudo ao seu redor, "sarcoma de kaposi" dizia o médico. Não doem, nem coçam. Nojentas, piores que lepra, ninguém me avisa ou relata, os remédios, de novo segundo os médicos, ajudavam a combater, mas o tempo tardio em que descobri a doença e a maneira que ela se manifestara, intensa como só a mão de deus poderia ser, pesaram contra e tudo era em grande escala, em grande urgência, o meu medo, meu desespero e meu nojo. Tinha por vontade colocar os dedos nas feridas e forçá-las a se abrir, rasgá-las, arrancar toda minha pele, lentamente, puxando fio por fio, sem sobra alguma: do tampão do dedo ao couro cabeludo, puxando, puxando e a pele enroscada na cartilagem ou em qualquer merda que seja e faço força para rasgar tudo o que tenho e me expor, expor-me como o sinistro, a própria encarnação do Cão, arrancando peles das vítimas como arranquei de mim mesmo.

— Não vou para casa — falei e expulsei bianca do banheiro.

Impuro

Quem do imundo tirará o puro? Ninguém. (Jó 14:4)

Mas no dia em que aparecer nele carne viva será imundo. (Levítico 13:14)

E o sacerdote o examinará, e eis que, se a pústula na pele se tem estendido, o sacerdote o declarará por imundo; é lepra. (Levítico 13:8)

Leproso é aquele homem, imundo está; o sacerdote o declarará totalmente por imundo, em sua cabeça tem a praga. (Levítico 13:44)

Todos os dias em que a praga houver nele, será imundo; imundo está, habitará só; a sua habitação será fora do arraial. (Levítico 13:46)

Também as vestes do leproso, em quem está a praga, serão rasgadas, e a sua cabeça será descoberta, e cobrirá o lábio superior, e clamará: Imundo, imundo. (Levítico 13:45)

Lepra inveterada é na pele da sua carne; portanto, o sacerdote o declarará por imundo; não o encerrará, porque imundo é. (Levítico 13:11)

Depois o sacerdote o examinará ao sétimo dia; se grandemente se houver estendido na pele, o sacerdote o declarará por imundo; é praga de lepra. (Levítico 13:27)

E o sacerdote vendo-a, e eis que se o pelo na mancha se tornou branco e ela parece mais funda do que a pele, lepra é, que floresceu pela queimadura; portanto o sacerdote o declarará por imundo; é praga de lepra. (Levítico 13:25)

E o sacerdote, examinando a chaga, e eis que, se ela parece mais funda do que a pele, e pelo amarelo fino há nela, o sacerdote o declarará por imundo; é tinha, é lepra da cabeça ou da barba. (Levítico 13:30)

Capítulo dedicado aos meus filhos

O murinho de casa, branco e baixinho, da altura de minha cintura, escondia todo o corpo dos dois, deixava apenas a cabeça de um à mostra e acima do peito do outro; o segundo, mais alto, balançava os braços como se fosse voar, seu sorriso denunciava o dente que perdera: tão novo pra cair dentes... o primeiro, chupando dedo como se fosse a chupeta recém-tirada: tão novo pra tirar chupeta... atrás deles, a casa, pequena e bege, duas janelas frontais e uma porta no centro, aberta, recepcionando quem chegava. As poucas plantas entre o caminho naturalizavam todo o retorno; a rigidez do quarto do hospital ficava para trás. Me venha o verde natural da esperança, ali plantado, ali nascido, não carregado até o quarto, colocado em um pote de plástico, não não não, tem que ser da terra e na terra. Os braços do segundo menino rodopiavam tanto que acertava a comigo-ninguém-pode de sua mãe. Ao ver o carro parou de se mexer, arregalou e estreitou os olhos. O primeiro permaneceu com o dedo na boca, sem reação. O segundo, Rafael, abriu o portão e correu à porta do carro, tentando abri-la antes que estivesse destrancada: "papai, papai," gritava. Suas pequenas mãos tocavam o vidro e o marcavam.

Filho...

E de repente, piegas e clichê como deve ser, o mundo pediu licença pra espiar a pequena criança que abraçava seu imerecido pai: "papai", falava, e não parava nunca. O que dizia, senhor, pouco importa, o que importa é que dizia. Chamei Thiago, o pequeno de dedo na boca; num despertar, correu e tropeçou, iniciando o primeiro choro da minha volta. E soava tão bonito, harmônico, Beethoven é o caralho, Mozart a minha pica, Bach o meu cu, ninguém encantou como Thiago, o pequeno e único tropeçador.

Atravessei o portão, passei pela espada-de-são-jorge, pelo copo-de-leite, pela comigo-ninguém-pode e perguntei se era um pé de figueira recém-plantado.

— Tentei... não foi pra frente, não consegui cuidar, meu amor... você sabe.

— Vai nascer... no tempo dela, vai nascer.

A pequena sala de azulejos brancos e sofá para três pessoas ganhara uma poltrona mal colocada pela falta de espaço do cômodo:

— É tua, meu amor, pra você descansar nela — me disse bianca.

— Como você...? — apontei pro móvel.

— A igreja... o irmão Deodoro doou.

— Você! Você...

— Não, não contei a ninguém sobre... o vírus... eu disse que estava muito doente, que queria privacidade.

— Ótimo, morto não precisa se explicar. Os outros é que explicam o morto — e isso não seria problema meu.

Rafael agarrava a minha mão e tentava me levar a ver um joguinho novo. Bianca dizia pra ele esperar, mas não havia calma, não até que visse a ferida em minha mão:

— Papai?

Lágrimas; soluçando como se a criança fosse eu:

— Não chora, papai, não chora... — ele disse.

— Choro, Rafinha, é dolorido demais...

Bianca se continha, apoiada com uma mão na parede e a outra nos olhos. Meu choro parou as lágrimas de Thiago. Atônitos, pobres meninos, encarregados de cuidar dos pais, botar pra ninar.

E Rafa não soltou as minhas mãos, puxou-as para baixo, pedindo que eu me ajoelhasse. Não consegui... ele ficou na ponta dos pés, de cabeça inclinada, sem jeito, sussurrando, dizia algo:

— O que diz, meu amor???? — Sussurrava, sem jeito. — Mais alto, meu amor — sua voz era sensível, pequenina e cantava:

Deus cuida de mim com amor, em todo lugar aonde eu for, se mesmo brincando eu estou, Deus cuida de mim com amor. Deus cuida de mim com amor, em todo lugar aonde eu for, se mesmo estudando eu estou, Deus cuida de mim com amor. Deus cuida de mim com amor, em todo lugar aonde eu for, se mesmo dormindo eu estou, Deus cuida de mim com amor.

Fiz-me do homem que nunca fiz e arranquei forças pra abaixar-me à sua altura, toquei sua bochecha e caí... a força do espírito santo, intocável pra mim... pastores derrubando irmãos em cultos... Rafa me derrubou em casa e correu para me levantar, ciente da dificuldade que eu tinha.

Até aquele momento, nunca reparei no bom pai que fui: meu filho seguia Jesus, sem obrigação, sem medo ou imposição, Rafa amava Jesus e Jesus amava Rafa: que isso pese, senhor, ao meu favor. Amém.

O retorno do filho pródigo, na visão deles

Não sabes, não ouviste que o eterno Deus, o Senhor, o Criador dos fins da terra, nem se cansa nem se fatiga? É inescrutável o seu entendimento. Dá força ao cansado e multiplica as forças ao que não tem nenhum vigor. Os jovens se cansarão e se fatigarão, e os moços certamente cairão; Mas os que esperam no Senhor renovarão as forças, subirão com asas como águias; correrão, e não se cansarão; caminharão, e não se fatigarão. (Isaías 40:28-31)

Para evitar furor, cheguei quando o culto já havia começado. Ao último banco me direcionei, os obreiros quiseram me levar à frente; pedi que não, que respeitassem. Lá em cima, o pastor me viu e disse que deus tocara seu coração para uma mudança radical de planos na pregação. Da fuga do Egito às palavras de Isaías, fortes como só a mão do senhor pode ser. E lá, com bianca e sem as crianças, debulhei-me novamente em lágrimas, sentia o corpo ferver, a palavra que no altar era lançada, encontrava alvo em mim; e o pregador sabia, sabia que por mim mudara o culto, que por mim deus redirecionara seus planos, e dizia, e profetizava e abria mão dos outros para falar a mim.

— Irmãos, é na fraqueza que descobrimos a glória do Senhor. É na fraqueza, irmãos, que percebemos a mão gloriosa do DEUS dos deuses sobre nossa vida, levando bênçãos para sua casa, protegendo sua família... O irmão pode estar passando por dificuldade, por provações, Jesus foi tentado, irmãos, provado pelo próprio Satanás em carne e osso!!!!!! ALELUIA IRMÃOS! EXALTA O SENHOR! Fala pro irmão do teu lado: Jesus foi tentado pelo próprio Satanás... fala, irmão, não precisa ter vergonha, não, olha pra esse abençoado do teu lado, diz pra ele... diz pra ele a tentação do nosso Senhor Jesus Cristo! E Jesus, irmãos, Jesus não cedeu!! O mundo lhe foi oferecido, mas ele possui todas as coisas, aaaaaaaaaah, irmão, ele possui todas as coisaaaas, ele não precisava desse mundo, não, ele não precisava dos feitos de Satanás, ele tinha a cruz, irmãos, a cruz para pagar todos seus pecados! Aahsharabakannaguistatoguiskihameleus!!!!!!!!!!! DERRAMA SENHOR! Os jovens se cansarão, os moços cairão, mas, irmão, irmão olha só, olha que bênção, irmão, os que esperam no Senhor renovarão as forças! Subirão com asas como águias; ah irmão é muita bênção, irmão! E nunca, jamais se cansarão, jamais desistirão dos caminhos do Senhor, jamais aceitarão o pecado e viverão nele. O Senhor planeja a vida de vocês, irmãos, você segue o plano de DEUS pra sua vida? Você segue o sonho de DEUS pra sua vida? Porque ele dá força ao cansado... e se você esteve parado, num lugar frio... triste... eis que o Senhor te dá vida, te dá força, irmão, força pra superar. Eu não sei... eu não sei qual a sua dificuldade aqui essa noite, eu não sei o que o Senhor tem pra você, mas o espírito de DEUS; shalababauniracammaritamo!!!!!! O espírito de DEUS diz pra mim que ele te sustenta; se agarra no espírito santo, irmão, entrega novamente sua vida a ele, porque, irmão, asas de águia você terá e voará para perto do trono do Senhor!!!!!!!

Ao final do culto mantive-me sentado, a igreja estendeu suas mãos para mim e orou pela doença que nem sabem que carrego; não foi um momento qualquer: uma santa epifania, fez-me humano e entendedor do que move esse povo, do que move esses filhos do altíssimo, que clamaram por mim mesmo sem saber, mesmo sem saber dos pecados, mesmo sem imaginar que sou *gay*... Não, eles não são perfeitos. Assim como também não sou e ali, naquele instante, de mãos empunhadas a mim, ali, senti não a glória de deus, mas a glória do homem.

O futuro a deus pertence

Carrego a cruz do imediato, buscando respostas para meu encontro com Mamãe, o desenvolvimento de minha doença, o retorno ao hospital e as tarefas que ainda desejo realizar antes de morrer; restará tempo? Finalizar as memórias é uma das vontades, mas não a maior. Se não tiver fim, alguém vem e coloca um ponto-final pra mim. Listo meus dez últimos desejos, senhor:

Brincar com meus filhos
Ir para a Colômbia
Revelar a verdade para Mamãe
Pregar pela última vez
Dormir ao lado de bianca
Comer salsicha com macarrão
Chupar um picolé de uva
Entregar-me sinceramente ao senhor
Participar da ceia no culto
Me aceitar como sou.

Vá, meu filho, seja o que não fui

Grande e pesado para mim, fraco que estou, dei as mãos, caminhei devagar, não apenas por insuficiência, por desejo, também, por desfruto da pele lisa e gentil de suas mãos, do passo pequeno, vez andando vez pulando, das palavras ainda insignificantemente significantes; do lado esquerdo, o caçula falava muito e perdia o interesse rapidamente; do direito, o mais velho falava pouco, contundente: "sua mão tá tão fina", "papai... quando será normal de novo?".

Atrás dos óculos escuros, eu escondia os olhos. Mais do que isso, fugia de encarar sem filtro os rostos deles, expressivos e dúbios. Refugiava-me o quanto podia, freando as emoções e os passos, sentia a pulsação acelerando ao estar de mãos-dadas com eles, entretanto, desejava soltá-las e que se afastassem o mais rápido de mim: não se contaminem, crianças!

Sinto-me Abraão levando-os ao abate, ao monte Moriá, entregando-os a toda sorte de bênçãos. Se não há deus por mim, que haja deus por eles...

Se fosse forte o suficiente, permaneceria longe deles. Vigilante, mas longe, sem fortificar suas dores e sofrimentos, que quando eu partir serão ultrajantes. Deveria manter-me afastado, beirar a cama o dia inteiro, rastejar pela casa sem óculos, mostrar os olhos caídos, sem vida, mortos pelo que vivenciou e assim saberiam que há um decreto sobre mim, tão determinado quanto o de Caim.

Em teoria, essa seria a última vez a levá-los para a escola. E eu persistia mentindo, levando-os dia após dia: levaria no sábado e no domingo, também, levaria toda hora, andaria atrás de uma escola inalcançável, apenas pelo percurso.

Se há mãos que me seguram ainda nestas memórias, são as deles, e se um dia os feitos pecaminosos do teu pai forem notórios, meus queridos, perdoem esse velho que os arrastava sempre mais cedo e mais lento do que todos, que os beijava incessantemente em frente à escola, que não tinha força pra carregar uma mochila, ou lábia pra resolver os problemas, que não tinha inteligência pra ajudar na tarefa e muito menos vigor pra auxiliar com as namoradinhas... perdoem, meus filhos, perdoem os pecados que contei, as tragédias que descrevi e os absurdos que pontuei sobre Jesus... ele é o senhor, o rei, o inalcançável, o maior dos tempos! Perdoem este velho pai, calejado, aidético e virulento, cheio de manchas e postura errática, perdoem esse ser que carrega o peso do mundo: é tão pesado! Perdoem este pastor que não pastoreia, esse pastor que não ensina, esse pastor que não é ovelha, mas é negra. Perdoem esse homem, amargo, ressentido, seco como o deserto de Cristo. Esse sou eu, o verdadeiro e deprimido pai de vocês, tão só, tão perdido, tão pecador. Não tenham-me como exemplo, apenas me perdoem, e essas meias-palavras terão valido a pena.

Apócrifo do homem morto: breve história sobre a vida do traidor

Durante toda a gravidez, a visitada pelo anjo ingeriu chás e mandingas para que o menino morresse; visitou mulheres e homens, prometedores do assassinato, vendeu pertences, roupas e, por fim, casa. Nada assassinava a criança, nada limpava sua barriga deste ser que crescia e dela se alimentava, como um pequeno demônio que pouco a pouco devora tripas e vísceras. Toda tentativa, todo líquido ou planta que ali adentrasse, nutriria o garoto. Toda busca pela morte era alimento da vida.

No dia da luz, não gritou nem chorou, de si saía o filho maldito, a dor que sentia era ínfima; detalhe pequeno entre os dois; entre os três, deus estava incluso. Como enganar o Todo-Poderoso? Onipresente e onipotente, senhor das decisões e vigilante do futuro; pensar em não pensar era apenas um exercício de autocontrole, mas jamais da real possibilidade da morte. E quando a criança foi colocada em suas mãos, esganou-a. Por minutos e minutos; só dava voz ao choro do pobre menino, que não morria, nem arroxeava; gritava. E só.

Tentou quebrar-lhe o pescoço, mas não houve coragem. Olhava a criatura, tão frágil, pequenina, incapaz de pensar ou articular planos malignos — como seria este, ó deus, o traidor dos traidores? O catalisador da tragédia do Cristo? O culpado de tamanho atentado? Como poderia deus, unânime e grandioso, do alto de seu trono, destinar um ser a tal feito? Manter-se neutro enquanto a criança cresce, se alimenta, aprende, fala, caminha, trabalha, como pode deixar que faça tudo isso, sendo que o fim de sua existência fora projetado antes mesmo do ventre.

São irmãos. Ele e Cristo. Irmãos de carne e osso. O escolhido para a glória; o escolhido pra infâmia.

E na infância mostrou os primeiros traços do trágico desenho que lhe fora designado; matara uma pomba para que ele e sua mãe comessem, a fim de matar, também, o vazio dos seus estômagos. Um assassino se delineava, diriam alguns. Um pobre menino faminto, pensava sua mãe. Fingia pensar. Fingia tão bem que, quando o sufocou com uma manta, parou pelo susto que tivera de si mesma e obrigada, então, a encarar aqueles olhos arregalados, a boca trêmula, o cabelo bagunçado, as lágrimas que começavam a aparecer e injuriada chorou como se pudesse inundar o deserto em que viviam; vida estéril.

Ele nunca perguntou por que ela fizera. Confiava em sua mãe, havia razão em sua expressão sempre dura, rígida, em sua mente que parecia nunca estar ali, buscando uma resposta nos céus — desde cedo ele aprendeu que os céus não respondiam.

Cresceu com outros cinco atentados, dois de madrugada, enquanto dormia, dois de madrugada, enquanto não conseguia dormir, um depois do almoço, quando pregara os olhos abaixo de uma enorme figueira e ali acreditou ter a paz que jamais encontrara; de olhos fechados, ouviu o choro de sua mãe, silencioso, mas audível, que apontava uma faca pro seu pescoço, na distância de não mais de quarenta centímetros. Escapou por pouco da morte, mas a faca cortou-lhe a bochecha: uma marca que nunca seria esquecida.

Depois daquele dia, abandonou sua mãe. Ainda acreditava, piamente, que o som do choro fora proposital, para que ele ouvisse e dela se desviasse. Nunca pensou que a intenção de sua genitora fosse real. Ela parecia ter um dever, uma necessidade, mas nunca tivera colhões para ir até o fim.

Quando ele partiu, foi preciso coragem pra não ir atrás. Coragem pra saber que esse seria o assassino d'O Cristo. Fraqueza seria assassinar o garoto; seu garoto. O amava mais do que amou o marido, a quem abandonara logo após o nascimento; mais do amara a cidade em que morava, a qual abandonara logo após o nascimento; mais do que amara os braços de sua mãe e os conselhos do pai, aos quais abandonara logo após o nascimento; mais do que amara o próprio direito de viver e, quiçá, ser feliz numa vida que ele não nascesse. Abandonara. Logo após o nascimento. E ele a abandonara: já não tinha nada. Vagaria pelo deserto, lembrando Ele, a todos os segundos, o quão cruel havia sido. Essa seria sua nova tarefa: não deixar que Ele esquecesse do que fizera.

Quando mãe e filho conversam por telefone

— A passagem já está comprada.

— Tenho medo de não chegar.

— Por quê?

— Não estou bem...

— O que você tem?

— Contarei apenas aí... digo... você verá.

— Dá pra ver?

— Dá...

— Fala o que é, por Deus!

— Nem por deus, nem por ninguém.

— Essa sua rebeldia não tem fim... você já é um pastor admitido e continua a falar desse jeito... essas provocações...

— Deus não liga pra essas bobeiras.

— Você fala por ele agora?

— E você não, Mamãe?

— A passagem tá pra dia 17.

— Adiantei pra dia 15... quero estar com meus filhos no natal.

— E eu quero estar com o meu.

— Então volte.

— Não posso!!!! Estou cumprindo uma missão por Ele.

— Qual missão?

— A de salvar almas...

— Salve a minha, mãe.

— Jeová, dono de toda glória e louvor, envia teus anjos em direção ao meu filho, Jesus, sufoca todas as potestades que o rondam... ilumina a alma dele, Senhor, decreto vitória em sua vida! Decreto vitória contra o inimigo, contra os males que o assombram, decreto o fim da escuridão, dessa doença misteriosa, pelo teu sangue, Jesus, salva meu menino, salva minha cria, sangue do meu sangue, corpo do meu corpo, pedaço de mim, Senhor, pedaço da minha carne, homem do meu ventre, parte do meu ser, direciona para o teu caminho e auxilia nas provações!!!! Vença sob o ministério de Jesus Cristo, nosso Senhor, amém. Para hoje e toda a glória!!!

Senhor, explicando [!] o desnecessário

O telefonema de Mamãe botou-me a pensar em termos práticos nas razões de eu nunca ter fugido, corrido desta vida e vivido o que sou. Talvez essa pergunta ronde, também, sua mente. Digo apenas que, se o senhor ainda não entendeu, nunca compreenderá sequer uma vírgula de gênesis.

— E na última badalada, retornarei para lhe levar comigo.

— Por que você não voltou? — perguntei.

Meu colombiano sorriu; sabíamos que era um sonho, tenho sonhado muito ultimamente, talvez a proximidade do fim faça-me iniciar a busca por outra realidade.

— Por que você está aqui, meu pastor?

— Você bem sabe, o vírus... maldito seja.

— Não, não, por que você está aqui?

— O vírus, já disse.

— Por quê?

Eu não tive coragem... revelar a verdade pras minhas ovelhas? Veriam que meu cajado serve de muleta, e não para apascentá-las.

— Entenderiam que o único pastor perfeito é o Senhor.

— Não seja tolo, colombiano, mesmo que em sonho, não seja tolo... me expulsariam, você sabe.

— Talvez, é verdade, e o Senhor o acolheria;

Misericórdia quero, e não sacrifício. Porque não vim a chamar os justos, mas os pecadores, ao arrependimento.

— Não cite Jesus pra mim... eu o conheço bem.

— E por que serve aos outros?

— Sirvo a bíblia.

— Por quê? Sirva a Deus.

— Prefiro você na vida real, menos incisivo, mais caridoso.

— Também prefiro, mas o eu real não está mais no mesmo plano que você, o eu real está ao lado do Senhor, onde você também pode estar.

— Não venha com bobeira, colombiano, ambos sabemos, não há volta pra mim, o julgamento de deus é implacável!

— A quem serve, meu pastor? Ao implacável ou a Jesus? Arrependa-se... não de sua condição, mas de seus pecados: adultério, mentira, luxúria.

— Tantos outros... o teu problema, colombiano, é que não está na minha pele.

— Tem razão, nunca saberei da tua dor... nem por isso me abstenho de comentá-la.

— E por isso não sabe como é.

— Mas nem por isso teu julgamento é melhor que o meu, meu pastor. O empirismo não é a base de todo raciocínio lógico... se fosse assim, silenciaríamos os estudiosos de leis *gays* porque são héteros? Parece-me tanto uma disputa de ego, meu pastor: quem está em privilégio de dizer? Quem tem as melhores articulações, não quem sofreu na pele. Subjetividade não serve pra muita coisa que não emocionar, você sabe, pastor, recorreu muito a ela em sua pregações. Mas sempre fez bem, agregando conteúdo. Pra mim, o ideal.

— E que isso tem a ver com minha condição?

— Tudo. Você acha que ninguém pode comentá-la, ou que ninguém a entende melhor do que você. Sofrer não é entender, meu pastor. Sofrer é sofrer, um incentivo à compreensão, mas não a chave essencial.

— Não diga que você sabe mais de minha condição do que eu mesmo.

— Por que não?

— Você não sente na pele!

— Não preciso. Saber não é sofrer, repito, meu pastor. Saber é ter dados e analisá-los de maneira coerente e de acordo com modelos prévios, poderia dar exemplos e exemplos...

— Não me importo, pra ser sincero, só não sei como chegamos aqui.

— Talvez seja uma mensagem a ser decodificada, meu pastor. Diga, como está?

— Mal. Não me abandone de novo, tua voz é meu único elo com um deus compreensivo; na verdade, tua voz me parece com a voz de deus. Pega teu violão, toca pra mim, colombiano.

— Não trouxe meu violão, meu pastor.

— Lê pra mim, então, lê o sermão do monte pra mim, por favor... não não, leia as últimas memórias de Macondo, em espanhol. Antes que essa tempestade comece e me apague do mapa.

— O Éden também não está no mapa, meu pastor...

— O Éden não existe, colombiano, não existe...

Apócrifos do homem morto: Jacó e a luta contra o anjo

Abro os olhos e ele está à minha frente, de túnica cinza-azulada, quase no mesmo tom do céu; soube quem era e o que queria, cocei os olhos, bebi um gole d'água e levantei.

É preciso saber que alguns seres são impossíveis de derrotarmos.

Enfrentei homens e homens, de moleques ao meu sogro, maldito enganador. Pus-me a rezar, por mais inútil que fosse. Se o próprio deus está à sua frente, clamará a quem? Seu hálito frio, olhos inalcançáveis, sua voz mansa como o vento que balançava sua túnica.

— Muda meu nome, livra-me dessa maldição — supliquei.

— Teu nome é tua marca, tua vestimenta!

— Muda meu nome, livra-me — repeti.

— Vença-me e salvarei teu nome.

E por toda a noite lutei contra o anjo; tanto lutei que até duvidei se era anjo ou doença, deus ou demônio, vida ou morte. Tanto o golpeei que tive certeza de sua imortalidade: a maneira que se movia, sem tocar os pés no chão, quase sobrevoando a terra. Eu me esquivava de socos e facas, punhos e murros, beijos e abraços.

A alvorada pouco subiu e a túnica do ser esfacelava-se:

— Deixa-me ir, já é hora.

— Não irá, não sem que me abençoe.

E toquei a juntura de sua coxa, deslocando-o; pondo aquela criatura ao chão! Provando a mim que invencível nem deus é.

— Mude meu nome, venci!

— E do nome que tem... te nomeio sem nome; e vagará assim até o último dia de sua vida, pois amaldiçoado é o homem que crê poder me derrotar.

A criatura deu-me as costas e foi-se embora, com sua túnica se esfacelando a cada passo, a cada raio de alvorada que nos atingia, abandonando-me sem nome até o fim dos tempos.

Lucas

— Eu queria mais momentos assim — disse meu irmão; frase que marcou aquela noite, como marca ainda hoje.

— Tipo? — perguntei.

— Simples... mais humano, simplório, sabe? O bar, a cerveja, você, a risada. Isso aqui.

— Também queria — pensei.

— Você precisa de mais momentos assim — finalizou.

Ele tinha razão; e talvez o senhor também tenha, buscando nestas memórias algum refrigério pra tanta... bizarrice — como se eu não tivesse te avisado lá no princípio. De simples, nada, ou muito pouco, só pra mostrar que sou humano também; imagina relatar, aqui, toda a calmaria que minha vida teve? Não cabe em minha condição. No estado em que estou, quero apenas jogar os podres e ver se consigo manter em mim o pouco de normalidade que tenho. Alguns quintanares, como diria Teresa, mas só pra provar que sei ser sutil, como fui em todo meu Ministério Pastoral; mas já estou longe, muito longe da igreja.

— Como está o coração? — questionei.

— Cada vez mais rápido... eu nunca pensei que seria já, esse ano... mas, eu sinto que devo, é ela, eu sei que é.

— E quando você a vir entrando de branco?

— Só espero não desmaiar... sei que vou chorar, sempre quis um lar, até acho que foi isso o que busquei a vida toda, um lar. Ela faz com que eu me sinta em casa.

— Bianca também, Lucas. Inaceitável como o braço de uma mulher tem tamanho poder afetivo.

— É a cerveja ou você voltou a falar como pastor?

— É a cerveja...

E gargalhamos, bati com as mãos na mesa, um dos copos quase caiu, Lucas arregalou os olhos e a boca, ria sem parar, de mim, do álcool, de seu casamento.

— Sabe a primeira coisa que vou fazer quando casar?

— Sem sacanagem, Lucas, vamos deixar isso aqui sem putaria.

— Não, não, a primeira coisa que vou fazer é te dar um abraço! O pastor vai dizer pra eu beijar a noiva, eu beijo ela e depois te abraço!

Lembro de sua voz, que começava a se arrastar, perguntei por que ele me abraçaria.

— Puf... meu irmãaao!!! Eu nunca teria chegado aqui sem você! Vou te abraçar porque, veja bem, comigo: a gente precisa de abraços... quantas vezes a gente se abraçou na vida?

Fiquei sem resposta, olhei pra ele com o canto do olho, confidente. Quebrei o clima perguntando se não tinha tido despedida de solteiro.

— Antes de ontem. Não quis no dia anterior do casamento.

— Por quê? — perguntei.

Ele ficou encabulado, balançou a cabeça, ergueu um dos braços e atirou-o contra o vento, como quem diz deixa pra lá. Insisti.

— Isso aqui, meu irmão... vale mais do que tudo — e deu um sorriso sem jeito, levantando pra ir ao banheiro.

Quando Lucas voltou, não sei qual foi sua reação, eu havia pago a conta e deixado um bilhete na mesa:

— Meu irmão, não sou digno de passar esse dia com você. Eu te amo.

O taxista perguntou se eu precisava de ajuda.

— Não, obrigado, o choro vai parar quando parar.

A ida para o céu

Preparei toda a mala com antecedência, roupas e remédios e uma bíblia, a primeira que ganhei, dada por Mamãe, surrada, velha, rabiscada e rasgada; — "você vai pro céu, papai" — meu filho mais novo brincava.

Coloquei na mala as memórias da casa, ciente de que não voltaria a vê-la. Despedi do não-me-toques quase que clamando por aquilo que a planta não desejava; carecia do abraço, não de um qualquer, d'O, daquele de despedida, consciente do fim de tudo, da sua eternidade e influência; o último e mais afável abraço.

Não recebi, todos acreditavam no meu retorno, que veriam meu corpo definhar mais um pouco, minhas pernas afinarem e meus lábios ressacarem; outras feridas surgiriam, quiçá na pálpebra dos olhos, ou na ponta do queixo.

Eu contava o tempo, apenas; não de maneira regressiva, mas progressiva, cada segundo a mais era um presente do senhor, benigno para comigo! O trânsito ruim e a rua esburacada faziam sacolejar meu corpo dolorido:

— Só um louco viajaria nesse estado — disse bianca.

Retruquei, munido da minha arma:

— Deus escolheu as coisas loucas deste mundo para confundir as sábias; e as fracas para confundir as fortes!

A fé era minha muleta, a bíblia, meu amparo para qualquer argumentação; tudo defensável pela palavra do senhor, basta o ponto de vista, as palavras corretas e a pontuação ritmada; tudo vale e tudo convém.

Fui de fila preferencial, nem questionaram razões, viam a degeneração no meu rosto: que vá rápido e suma rápido! Os olhos dos terceiros percebiam o contágio em mim; medrosos, esquivavam para não respirar o ar que respirei, não tocar os lugares que toquei. Rezavam, eu sei, pra não se sentarem ao meu lado no avião, pra que o destino não fosse o mesmo.

Quis chorar.

E jesus chorou. (João 11:35)

Quis, tanto, que as paredes começaram a girar e os aviões pousavam de baixo pra cima e decolavam de cima pra baixo. Senti uma dor profunda, enraizada de algum lugar identificável, do peito, do fígado, do coração, do cérebro, doía tudo, levantei pra fugir e esbarrei em crianças e pilares. Ninguém veio em socorro, caí estirado no saguão, sem forças pra me mover. O chão frio aterrorizava minha pele:

Frio, não, não antes de Mamãe! Não antes de Mamãe!

— MAMÃE! MAMÃE!

Capítulo do meu julgamento

______/_/\/\/\/____/\/\/\/\

Jesus: ...

Satanás: !

?

Jesus :(

Satanás :)

/_/\/\/\/________________,

Jesus:!!!!!!!

O que é a fé?

Perguntou a tia que cuidava das crianças na hora do culto.

Mariana disse: "quando a gente junta as mãos e pede as coisas que a gente quer".

Tiago (cantando um hino da igreja) respondeu: "posso clamar...".

Ana Milena respondeu: "quando Deus fala com a gente".

João falou: "você precisa de alguma coisa e pede, e aí você ganha".

Carolina disse: "é invisível e toda pessoa tem".

Daniel acrescentou: "minha mãe me disse que a gente tem que ter".

Lara comentou: "não sei (*tenta...*) quando o papai tá de joelho na cama dele e me chama".

Eu disse: "acreditar que deus está sempre com a gente, até nas horas impossíveis".

Capítulo do meu pior julgamento

De olhos fechados pude sentir o peso do ambiente, tensões em choque e o respirar de duas pessoas. Uma sentada na poltrona, balançando as pernas, e outra rondando meu leito, de passos curtos e silenciosos; conheço esses passos. Conheço também o balançar das pernas, a cama em que estou, o cheiro e a iluminação, mesmo sem ter aberto os olhos.

Permaneci assim por alguns minutos, querendo prever o que viria. Em vez de formular qualquer frase ou especular qual seria a abordagem dela, mantive-me fixo à ideia de aproveitar os últimos momentos de paz com as duas mulheres que amei. A fim de não interromper esse sossego, usei todo acúmulo de atuação desta vida de fingir ser macho, para simular sono, sem tremer os lábios ou as pálpebras. Esse foi meu desafio por um breve período de tempo, até que a mão dela tocasse a minha. Não havia erro: a aspereza, os calos ao longo de toda a extensão, tão judiados quanto os joelhos que se dobram dia e noite.

Mamãe...

O toque de nossas mãos gerou um pequeno choque: de repente abri os olhos direto nos olhos dela e pude ver os traços cansados e queimados pelo sol, seu rosto preocupado como nunca, lábios comprimidos pelo choro que não deixaria vir: sabia que eu fingia dormir, mas não se importou. Deixou-me ser; primeira vez que recordo do silêncio por vontade própria, sem mancomunações ou ressentimentos. A boca calada falava mais do que os longos sermões de toda a vida, mas ela parecia não saber disso e buscava em toda sua literatura gospel uma palavra... uma que fosse...

"Aleluia,"

(A vírgula porque ela parecia buscar outra...)

"Glória a deus,"

"Seja louvado,"

"deusdeusdeus"

"Estende tuas mãos"

E logo o senhor a preencheu de palavras e uma oração foi descarrilada. Ainda assim, o silêncio falava de maneira mais aprofundada.

— Bianca, pode nos dar licença?

De cabeça baixa, recolheu a bolsa do chão e saiu sem me fitar. Sabia... ela se culpava de novo! Quis chamar minha esposa, apascentá-la... apascentaria como, se sou apenas uma ovelha? Frágil, acinzentada, de olhos caídos e pelos malcuidados...

— Ela não deveria ter deixado você ir! Se eu soubesse o seu estado!!! Por que eu não...?

De toda a força do mundo, consegui erguer minhas mãos e pedir pra ela parar. Guardava fôlego pra dizer o que deveria ser dito de uma vez.

— Amém... mãe... Eu nasci veado. Nasci veado e morri veado. Nasci enterrado. Nasci veado evangélico. Não nasci pastor, mas estava escrito, segundo o bondoso destino de DEUS... DEIXA EU FALAR — força para respirar, não encarava seu rosto, olhava pros pés cobertos pelo lençol —, sou assim, casei e tentei me curar, sou assim... sempre fui... você soube, depois não soube mais... eu sempre soube... desde pequeno... sempre soube... quando beijei o primeiro menino... quis morrer... por medo de você... e por medo de eu ter gostado — quando transei a primeira vez... quis me matar, pensei em me matar durante uma semana, pensei, pensei, pensei... e talvez fosse menos dolorido pra você... Eu sou assim, Mamãe, um *gay*, um homossexual. Um condenado por você... eu vou pro inferno, mamãe, e não há nada que possa fazer... eu vou pra lá e vou encontrar o bêbado afogado... tudo isso só porque gosto de... homens.

Esperei por muito tempo uma resposta, ela veio em oração, clamando a deus pra me restituir o bom senso.

— Mamãe — eu não estou fora de mim. — EU SOU *GAY*!

— NÃO! NÃO É...! NÃO É! NÃO É E NÃO É!

Clamei a deus pra não me deixar morrer agora e que me livrasse dos sintomas, da dor e da tontura, ao menos por hora.

— NÃO É! VOCÊ É HOMEM! HOMEM! HOMEM! COMO SEU PAI!

— HOMEM COMO SEU PAI!

— SEU PAI!

— — — — — — nã— — o.

Ela pulou em cima da cama, agarrou meus braços e depois esbofeteou minha cara: não senti dor.

— Teamoteamoamo.

Ela abriu minha ferida no rosto e um pouco de sangue escorreu por mim; percebeu, então, o que fazia, onde estava e, acima de tudo, meu deterioramento.

— VOCÊ ESTÁ ASSIM PORQUE É VEADO!

— Eu sei, Mamãe, sempre soube... estava escrito assim.

Arrancaram-na de lá; eu ainda tinha tanto a dizer... a confessar...

Senti o sangue escorrendo pelo meu rosto, passando pela minha boca, sem gosto.

Mamãe nunca saberá minha história, nunca lerá estas memórias. Se possível, as queimará. Nada aconteceu como sonhei; nem nos sonhos, senhor, eu saía vitorioso. Em todos eles, Mamãe acabava comigo por humilhação e opressão física. Ao menos, porém, eu dizia o que queria. Nem esse luxo ela me deu, nem essa satisfação. Precisei me calar pela sua necessidade de atrair os holofotes, de fazer tudo como bem entender sem ouvir o próximo; tanto a desenterrar de mim e enterrar nela — que carregue pro seu caixão!

Bianca, parada na porta, desconcertada, encarando o crucificado. Abaixou a cabeça, caminhou em minha direção. Hesitou. Voltou a encarar o crucifixo. Seus passos nunca foram tão lentos, ela olhou meus pés, passou a mão por todo meu corpo, limpou o sangue que escorria.

Sentiu o palpitar das minhas mãos, esfregou sua palma no meu peito, como se buscasse afagar, pelo menos um pouquinho, o meu coração, tão pesado e desorientado. Acariciou meus cabelos, encostou seu rosto em meu ombro, sem se importar com o pouco de sangue que ainda restava.

Eu mal conseguia falar e ela sabia, por isso também estava muda.

Bianca conhecia minha alma, eu conhecia a dela. Como pude supor que um dia, qualquer dia, eu enganei aquela mulher?

Ela soube. Sempre soube. Soube quando ficou nua pra mim, soube quando eu chegava tarde, soube quando Davi foi morar em nossa casa, possivelmente, soube até quando no telefone nós conversávamos. Meu tom de voz era diferente, mais falante, mais rápido, meu humor tornava-se espontâneo.

Bianca sempre soube que eu era muito pouco homem, não por ser *gay*. Por nunca ter a coragem de admitir.

Ela beijou minha bochecha, minha boca, meus olhos, minha testa, meu nariz, meus cabelos. Agarrou minhas mãos com toda a força que tinha, disposta a nunca me deixar partir, a nunca desistir de mim, a nunca permitir que deus me levasse. Soube que, enquanto aquela mulher lutasse por mim, enquanto ela estivesse viva e orando, eu não morreria.

Soube que o santo era ela. Soube que bianca foi e sempre será minha única salvação. Senti confiança. Com ela, eu poderia sair daqui.

Bianca levantou, passou a mão pelo meu peito e, deixando escorrer a primeira lágrima de seu rosto, disse:

— Vá. Eu deixo você ir, meu amor. Eu cuidarei dos nossos filhos, cuidarei da tua memória e do teu diário. Cuidarei do que você foi. Diga pra Deus guardar um lugar perto de você, no Paraíso. Vá em paz.

Ela saiu do quarto.

Despedida

Não é, senhor, o último capítulo.

Falhei talvez em entregar uma história de blasfêmia e ofensa: eu aqui — completamente nu, entregue e verdadeiro.

Já não sei quem é o senhor e isso pouco me importa, não sei também o que dirão dessa carta de suicídio prolongada; de um ser que aos poucos morreu, mas que viveu, não direito, mas intensamente.

Ainda uso aquela túnica, mas ninguém montou em mim.

Talvez seja este meu último desejo: apenas um buraco na terra, insetos em volta do caixão e um esqueleto que acompanha o movimento do mundo: em eterna decomposição.

Senhor, até nunca.

O sermão que nunca tive coragem de dar

Boa-noite, queridos irmãos e irmãs; como a igreja está hoje? Abençoada? Quem tá abençoado dá um glória pro senhor! Não fica quieto, não, irmão! Manifesta o poder do Espírito aí! Que o senhor abençoe este culto, derrame sua glória sobre nossas cabeças e que não seja eu, mas Ele a falar nesta noite. Que o eu diminua, que o eu se cale, para que o Todo-Poderoso possa espalhar seu conhecimento, seu poder... que Jeová fale por mim. Não fiquem em pé, não, irmãos. Podem se sentar... o assunto que tocarei hoje não é simples.

Talvez, irmãos, seja o meu último sermão. Não se espantem, não. Todos já sabem das minhas condições, da maneira que estou vivendo. Não sabem o que tenho, mas o que me tornei. O senhor tocou em meus lábios e em meu coração, e fez de mim um novo homem, irmãos! O senhor arrancou-me do Egito, esteve comigo na fornalha, curou minha cegueira. ALELUIA! O senhor é poderoso, sharabacamiacamas!!! O Senhor é bendito, onipotente e presente em toda sua glória, o senhor é paciente e tem seu tempo, irmão; o tempo do homem é fraco... o tempo de Deus é certeiro! Não atrasa! Não erra! O que falarei hoje pros irmãos me trará muitas inimizades, olhares tortos e falsos desejos de melhora. Eu sei... eu sei, já fui como vocês, irmãos, já fui hipócrita. GLÓRIA A DEUS! Minha hipocrisia não tinha fim.

Quantas vidas desvirtuei pregando um evangelho que nunca me convenceu? Quantas noites passei, em claro, tentando calar as contradições bíblicas, solucioná-las, dizer que tudo não passava de obra de Satanás e que, ah, a bíblia, a bíblia tem a resposta! Não tem, irmãos... a bíblia é uma farsa! Uma mentira muito bem contada... uma ilusão. A palavra do senhor não se limita a esse livro que bispos definiram! deus vai além! Se a bíblia é santa e única, por que existem a evangélica e a católica? Se a bíblia é santa, única e contempla toda a palavra de deus, por que o livro de Enoch está fora dela? Judas 1:14, irmãos, cita Enoch... é fácil, é simples: se a bíblia cita o livro de Enoch como uma verdade, logo, o livro de Enoch é verdadeiro e santo, mas está fora do cânone. Os próprios cristãos primitivos consideravam a obra verdadeira! E o apocalipse? Tanto tempo deixado de fora... vejam, irmãos, não é um absurdo, é algo simples. Há palavra de seguidores de deus fora da bíblia, não se acanhem!

Não existe pecado em aceitar isso. Em Ap. 22:18-19, está escrito: *Eu, a todo aquele que ouve as palavras da profecia deste livro, testifico: Se alguém lhes fizer qualquer acréscimo, Deus lhe acrescentará os flagelos escritos neste livro; e se alguém tirar qualquer cousa das palavras do livro desta profecia, Deus tirará a sua parte da árvore da vida, da cidade santa das cousas que se acham escritas neste livro.* Muitos pastores usam essa citação como justificativa da santidade bíblica. Tolos! Nem João sabia que o Apocalipse faria parte dessa coletânea de livros, como inclusive não fez por muito tempo, irmãos! Entretanto, considerarei a bíblia perfeita, ao longo de toda a minha pregação, por causa da lógica que vocês seguem. Eis que os irmãos abominam a homossexualidade, porque o próprio deus abomina, não? *Com homem não te deitarás, como se fosse mulher; abominação é*; Levítico 18:22. Os adoradores de Levítico, irmãos, prestenção porque deus é quem fala por mim!

Os citadores de Levítico muitas vezes sequer entendem a função social da obra, de controlar e regrar o povo hebreu, para que eles se distinguissem dos outros e pudessem manter-se vivos perante a diáspora e a manutenção do reino judeu. Obviamente, não podemos afirmar que deus instaurou tais leis apenas para que homens se deitassem com mulheres para o crescimento do povo. Entretanto, irmãos, não está muito longe... Aos que usam Levítico de exemplo, é muito simples: *E quanto a teu escravo ou a tua escrava que tiveres, serão das nações que estão ao redor de vós;*

deles comprareis escravos e escravas. Também os comprareis dos filhos dos forasteiros que peregrinam entre vós, deles e das suas famílias que estiverem convosco, que tiverem gerado na vossa terra; e vos serão por possessão. E possuí-los-eis por herança para vossos filhos depois de vós, para herdarem a possessão; perpetuamente os fareis servir; mas sobre vossos irmãos, os filhos de Israel, não vos assenhoreareis com rigor, uns sobre os outros. Levítico 25:44-46.

Se a crença em Cristo existe as leis do pentateuco, irmãos, morreram! Entendam, pela glória do senhor, é um raciocínio simples: se Jesus rompeu todo o antigo testamento, não se pode selecionar o que foi rompido e o que não foi. É tudo ou é nada, irmãos! Não há fuga dessa lógica. Não se pode dizer que o dízimo permanece como lei, se ele é lei do Antigo Testamento. Jesus, nosso senhor, rasgou o véu e aproximou-nos do Todo-Poderoso! Não se enganem, porém, de que não existem códigos éticos e morais a serem seguidos, para agradar ao senhor. Nenhum dos irmãos é tolo a ponto de supor tamanha sandice. Assassinar, por exemplo, não é permitido apenas porque está no Levítico e foi abolido. Entretanto, assassinar é um ato que tira a vida do próximo, indo contra o dito por Jesus em vários de seus sermões. E então veio Paulo e escreveu o que, para mim, atesta o caráter pecaminoso da homossexualidade: *Porque as obras da carne são manifestas, as quais são: adultério, fornicação, impureza, lascívia, idolatria, feitiçaria, inimizades, porfias, emulações, iras, pelejas, dissensões, heresias, invejas, homicídios, bebedices, lutonarias, e coisas semelhantes a estas, acerca das quais vos declaro, como já antes vos disse, que os que cometem tais coisas não herdarão o reino de Deus.* Gálatas 5:19-21.

Além disso, Paulo escreveu: *Não sabeis que os injustos não hão de herdar o reino de Deus? Não erreis: nem os devassos, nem os idólatras, nem os adúlteros, nem os efeminados, nem os sodomitas, nem os ladrões, nem os avarentos, nem os bêbados, nem os maldizentes, nem os roubadores herdarão o reino de Deus.* 1 Coríntios 6:9-10. Passei toda a vida, desde os catorze anos, irmãos, tentando refutar e apontar erro na frase de Paulo; tentando encontrar uma brecha. Por vezes, cheguei a visualizar uma luz ao fim do túnel: a origem das palavras? Não, não consegui. Mais tarde, pensei: Paulo diz que os que se relacionam sexualmente de modo antinatural irão para o inferno, mas se a natureza do indivíduo for ter relação com homem, não há nada de errado, porque é o natural para ele. Entretanto, ao uso de "efeminados", à menção ao "lesbianismo" em outra passagem, não me restou esperança. Para Paulo, ser homossexual é um pecado digno de tirar o indivíduo do paraíso. Entretanto, irmão, é aqui que tudo começa a ficar interessante para você que está aí sentado: não apenas os efeminados irão para o inferno. Os mentirosos, adúlteros, sodomitas, ladrões, bêbados, maldizentes, todos viverão a eternidade ao lado dos *gays*, segundo Paulo. Reflita, então, irmão, por que apenas os homossexuais são motivo de perseguição por parte da igreja? Por que eles são a aberração, os abomináveis? Por que ninguém persegue bêbados? Ou, ainda, maldizentes, as fofoqueiras que sentam aqui neste banco! Nas primeiras fileiras! Por quê?! Não olhem feio, irmãos, não façam caretas; mantenham-se retos no que digo, sem dores pessoais, e verão a clareza do meu pensamento! É uma pergunta que faço a vocês, irmãos: por que *gays* não podem casar, mas bêbados, fofoqueiros podem?

Afinal, se é condenado por Deus, se vai contra a essência de deus, não seria antinatural ao homem ser mentiroso, visto que ele é a imagem e semelhança do senhor? Se a resposta for sim, ninguém poderia casar, irmãos, visto que não é natural o casamento com aberrações perante o Todo-Poderoso... Eu sei, irmãos, vejo em seus rostos, na falta de "aleluias e glórias" desse culto, que nada disso os agrada, mas, queridos, sou obrigado a lhes falar sobre. E admito, ainda, que algum excelente teólogo pode derrubar o mandamento de Paulo, mas eu não fui capaz e estou ciente. Porém, até agora, irmãos, falei com vocês dentro de suas próprias lógicas, analisando os ditames bíblicos. Devo, entretanto, clamar a Jesus: o Rei dos Reis! E lembrar que ele nada disse acerca dos homossexuais, nem uma palavra sequer. Contra essa visão, pastores argumentam que Jesus também não falou nada sobre o estupro ou a poligamia e que nunca tratou da homossexualidade porque era assunto "morto" para os judeus, porque era óbvio o fato de ser um pecado. Falácia! De modo que também era proibido curar aos sábados, mas ele curou; ou ainda, era óbvio que uma prostituta devesse ser apedrejada, mas Jesus manifestou-se! Ou ainda, proibido chegar aos leprosos, e Jesus os beijou!

Além disso, irmãos, é muitíssimo óbvio... ninguém pode dizer que Jesus não falou sobre nada! Pode-se dizer apenas que os evangelistas não escreveram sobre o que o messias falou; ele pode ter falado sobre tudo, apenas não foi registrado. Afinal, são três anos de ministério! Nem todos os evangelhos juntos correspondem a tão grande período da vida do salvador da humanidade! Vale, porém, lembrar sempre o caráter amoroso da pregação de Jesus; com raras exceções que necessitam de contexto, ele trouxe o amor a toda palavra! Jamais disseminaria o ódio aos *gays* ou transexuais. Possivelmente, jantaria com eles e nada diria acerca de sua condição, porque Jesus, irmãos, OXERABACAM MANARAI!!! Jesus compreende o interior do homem, Jesus bate no coração do ser humano, que recebe o messias! Ele conhece todos os seus sonhos e medos e anseios, ele navega pelo mar de suas tristezas, irmão, ele anda pelos seus pecados e, irmão, GLÓRIA A DEUS, esquece-os, os destrói! Te faz um homem melhor com o som de sua voz, te carrega em seus braços e faz de ti o seu irmão, o seu semelhante: ALELUIA! Deus, irmãos, Deus sonda o coração do homem,

Ele sabe o que se passa dentro de nós: dos nossos conflitos, das nossas dificuldades! Reflitam, irmãos: com tanta tristeza no mundo, com tanta morte, maldade, por que deus se incomodaria com quem o *gay* se envolve? A bíblia prestou serviços sociais; ela deve ser contextualizada em sua época. Suas leis estão empoeiradas, suas leis são mórbidas, suas leis são assassinas! São revoltantes! "Onde está o deus de amor?", pergunta o irmão que lê o Antigo Testamento. Ninguém sabe responder! Justificam, justificam e justificam, patinam em suas próprias crenças. Pisam em ovos para falar do AT, porque sabem que ele é cruel: não podemos cometer o erro de sermos burros! deus é eterno, mas não as leis de Moisés!

Quem sacrifica animais? Ninguém! Por quê? Porque o Cordeiro Santo sacrificou-se por nós!!!

Depois de uma vida, irmãos, uma vida escondendo de mim e dos outros o que realmente sou, uma vida fugindo da minha identidade, dos meus prazeres, uma vida negando aquilo que sempre me coube, uma vida de mentiras, só depois de estar a ponto de perdê-la, entendi as palavras de Jesus: ame ao próximo e seja bom, isso basta. Que se dane Pedro, Thiago, João, Judas, Paulo, eu falo com Jesus! Eu pertenço a ele, e se ELE me diz que amar o próximo e ser bom basta, é com ele que vou: você me basta, Cristo, você me basta Cordeiro Santo e Imaculado, você me basta, Rei dos Reis e Senhor dos Senhores, você me basta, o Alfa e o Ômega, você me basta, o princípio e o fim OXARABACAN MARANAI!!!! Você me basta, assentado ao trono, semelhante à jaspe e sardônica, você me basta, Leão de Judá, você me basta, o Salvador!

Santo, Santo, Santo, é o Senhor Deus, o Todo-Poderoso, que era, e que é, e que há de vir. Me prostro diante de Sua grandiosidade, clamo pelo sangue do cordeiro que há de advogar por mim no leito da morte, que há de lembrar-se de minha trajetória, de meus pecados e arrependimentos e da busca para encontrar não só o eu, mas o deus; lembra de mim, senhor, não te esqueças por um único segundo da existência deste teu miserável filho, deste teu servo incapaz, desta alma que fraqueja a todo instante, olha por mim, Poderoso, dotado de misericórdia; escreva meu nome no livro da vida, recolha os ossos do meu corpo no dia findo, senhor, leva-me para o teu paraíso: não porque sou digno, ó, senhor, mas pela misericórdia e só por ela! Porque sinto o fim da vida, Pai, o cheiro da morte rasteja pelas minhas narinas, o cheiro do pecado já incrustado em mim: arranca, deus! Arranca esse odor! Santifica meu ser, limpa minha vida; amém, senhor! Assim, senhor! Toque-me para que eu sinta sua glória! Derrama teu poder, Rei dos Reis! Já não há vida para mim, salve os meus irmãos, que me veem como um forasteiro: e talvez eu seja, senhor, um forasteiro nesse mundo, abandonado, entregue às tuas mãos!!! Vigiai por mim, senhor, e carrega-me à sepultura, porque, ó, senhor, tantas tentações tive e a poucas resisti, mas clamo perdão, senhor. Tantos medos sofri e a todos me entreguei, mas hoje, Senhor, de face à morte, entrego-me apenas à sua Santidade. Tanta dificuldade encontrei nesse mundo, senhor, mas nenhuma delas, repito, meu bondoso Deus, nenhuma delas foi ou será maior do que ser um veado chamado Jesus, ó Cristo.

INFORMAÇÕES SOBRE A

GERAÇÃO EDITORIAL

Para saber mais sobre os títulos e autores
da **Geração Editorial**,
visite o site www.geracaoeditorial.com.br
e curta as nossas redes sociais.

Além de informações sobre os próximos lançamentos,
você terá acesso a conteúdos exclusivos
e poderá participar de promoções e sorteios.

geracaoeditorial.com.br

/geracaoeditorial

@geracaobooks

@geracaoeditorial

Se quiser receber informações por e-mail,
basta se cadastrar diretamente no nosso site
ou enviar uma mensagem para
midias@geracaoeditorial.com.br

Geração Editorial

Rua Gomes Freire, 225 – Lapa
CEP: 05075-010 – São Paulo – SP
Telefax: (+ 55 11) 3256-4444
E-mail: geracaoeditorial@geracaoeditorial.com.br